# EL CUERPO

## HUESOS, MÚSCULOS, SANGRE, Y OTRAS PARTES DEL CUERPO

Richard Walker

Asesora
Dra. Gabrielle Murphy

Traductor
José Ochoa

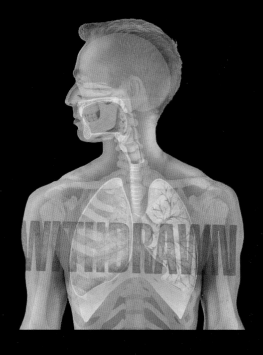

Alhambra

Dorling **DK** Kindersley

A Dorling Kindersley Book
www.dk.com

El cuerpo. Huesos, músculos, sangre y otras
partes del cuerpo

Traducido de: *Body. Bones, Muscle, Blood and
other Body Bits*
Copyright © 2001 Dorling Kindersley Limited, London
ISBN 0-7513-3078-7

De esta edición:
© 2002 PEARSON EDUCACIÓN, S.A.
Núñez de Balboa, 120
28006 Madrid
Este libro sólo puede venderse en España

ISBN 84-205-3604-0
ALHAMBRA es un sello editorial autorizado de Pearson Educación, S.A.

Traducción y maquetación: José Ochoa
Coordinación editorial: Adriana Gómez-Arnau y Ana Maestre

IMPRESO EN ITALIA - PRINTED IN ITALY
Este libro ha sido impreso con papel y tintas ecológicos

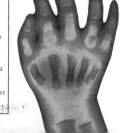

**Nota para padres y profesores**
Se ha hecho todo el esfuerzo posible para que la información que contiene este libro
estuviera actualizada al máximo en el momento de imprimirlo. Sin embargo, internet es
cambiante por naturaleza. Tanto las portadas como los contenidos de los sitios web están
siendo actualizados constantemente y lo mismo ocurre con las propias direcciones de
internet. Además, los sitios web pueden contener material o enlaces a material que no es
adecuado para niños. Por lo tanto, los editores no pueden aceptar responsabilidades por
sitios web de terceros, por el material que contienen o al que enlazan ni por consecuencia
alguna del uso de internet. Los editores tampoco pueden garantizar que los sitios web y
las url incluidas en este libro se muestren tal y como aparecen en él. Se aconseja
encarecidamente a padres y profesores que se aseguren de que los niños accedan a internet
bajo la supervisión de un adulto responsable.

# ÍNDICE

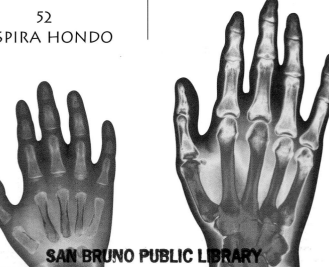

# INTRODUCCIÓN

No importa dónde vivamos o qué hagamos, todos compartimos algo. ¡Un cuerpo! Pero, ¿eso es motivo para no hacerle caso? ¡Claro que no! La historia secreta del cuerpo humano es demasiado excitante, horripilante e interesante como para ignorarla.

Y, ¿de qué historia se trata? La que han ido montando durante siglos médicos, científicos y los que han sido fascinados por cómo está hecho y cómo funciona. Gracias a sus esfuerzos ahora sabemos que cada una de las partes (o, mejor dicho, sistemas) que lo componen tiene su papel. Pon juntos todos esos sistemas y entenderás el cuerpo humano.

Descubrirás qué es lo que mantiene derecho al cuerpo y

EL CORAZÓN BOMBEA SANGRE SIN PARAR POR TODO NUESTRO CUERPO.

por qué se mueve cuando quieres. Serán desvelados todos los misterios del cerebro y por qué las mofetas huelen tan mal. Lee y te enterarás de cómo el oxígeno te vivifica, cómo la comida te da energía, cómo se genera la orina o qué hace el hígado. Todo esto con el trasfondo de un corazón bombeando sangre a todas las células del cuerpo.

Y hay más. Te encontrarás con ladrones de cuerpos saqueando tumbas, con un ferroviario con una vara de hierro atravesada en la cabeza, con el monstruo de Frankenstein y otros personajes fascinantes que han influido en nuestro conocimiento del cuerpo humano.

Una vez que hayas descubierto las piezas del cuerpo, llegará el momento de investigar el abrigo vital: la piel protectora que nos cubre por completo. Sin mencionar los encargados de la defensa y el servicio de reparaciones del cuerpo que saltan a la acción en cuanto algo va mal.

Y, si no fuera suficiente, tenemos también reproducción, la creación de nuevos seres humanos cuando hemos completado nuestra vida.

Ahí lo tienes. Un cuerpo humano que anda, habla y respira. Para los que queráis explorar el tema más a fondo, están los "bocadillos" (*bits*) negros *Conéctate* que hay por todo el libro. Ellos te dirigirán a fascinantes sitios web donde podrás introducirte más a fondo en apasionante información.

LOS MÚSCULOS
Y LOS HUESOS
AGUANTAN Y
MUEVEN
NUESTRO
CUERPO.

Richard Walker.

# LOS FUNDAMENTOS

No hay duda de que los humanos son los animales más inteligentes del planeta Tierra. Somos también muy curiosos y siempre estamos explorando el mundo que nos rodea, incluyendo nuestro propio cuerpo. Hemos llegado a comprender su funcionamiento, hasta la más pequeña célula, a través de un trabajo detectivesco que se remonta a nuestros primeros ancestros.

## TODOS NUESTROS ANCESTRO PROCEDEN DE ÁFRICA

**Los primeros humanos** Incluso si nos remontamos 30.000 años, sabemos que la gente era consciente de su cuerpo. Los primeros humanos preservaron la imagen del cuerpo humano con pinturas en paredes de las cuevas y con sencillas esculturas.

Eran capaces de usar sus manos para pintar, moldear o cavar, porque

millones de años antes los primeros humanos, como el *Australopithecus*, ya habían pasado de moverse con sus cuatro extremidades, como sus primos los simios, para erguirse sobre dos piernas. Eso les dejó las manos libres para hacer todo tipo de cosas.

Nuestro pariente vivo no humano más cercano, el chimpacé bonobo, desciende de una rama de la familia simio-humana que no pasó a moverse sobre dos piernas.

UNO DE LOS PRIMEROS HUMANOS FUE EL AUSTRALOPITHECUS.

## Iguales o diferentes

Si te das una vuelta por la calle, no te costará darte cuenta de que hay cuerpos humanos de todos los tipos, tamaños y colores de piel. Los humanos, como muchos animales, se dividen en dos grupos: machos y hembras.

Salvo estas diferencias, todos los cuerpos humanos tienen la misma anatomía o estructura básica y funcionan exactamente de la misma forma, excepto en las partes que nos hacen hombres o mujeres. Sabemos sobre anatomía gracias a toda la información sobre el cuerpo que se ha recopilado durante miles de años. Cada cultura ha tenido sus propias ideas sobre cómo el cuerpo saca tanta energía.

## Primeras interpretaciones

Los antiguos griegos, por ejemplo, pensaban que en el cuerpo había cuatro "humores": sangre, bilis amarilla, bilis negra,

ESTOS NIÑOS PARECEN DIFERENTES, PERO SU ANATOMÍA ES IDÉNTICA.

y flema. Cualquier desequilibrio de estos humores te podía hacer enfermar. Sobre todo si no tenías ¡sentido del humor!

Galeno (129–201 d.C.), médico griego, aprovechó estas ideas y se convirtió en una estrella de la medicina en Roma. Por desgracia, estaba prohibida la disección humana (abrir cuerpos), así que usó cerdos, cabras y ovejas, asumiendo que su anatomía podía ser la misma. Pero, ¡no lo es! Sin embargo, Galeno era tan convincente que se aceptaron sus ideas, aunque muchas estaban equivocadas.

Tras su muerte, los conceptos de Galeno sobre el cuerpo no se modificaron en más de 1.300 años. Los que se atrevían a criticar los libros de Galeno recibían burlas o castigos.

LOS CUATRO HUMORES

FLEMA

SANGRE

BILIS NEGRA

BILIS AMARILLA

## Nuevas ideas

Hacia el siglo XVI se empezó a cuestionar lo que creía Galeno. Dos personas, Leonardo da Vinci (1452–1519) y Andreas Vesalio (1514–64), jugaron un papel clave en decir adiós al pasado.

Leonardo fue un brillante artista y científico. Diseccionó más de 30 cuerpos a la luz de la vela en el cementerio del Santo Spirito. Usando sus observaciones, no las de Galeno, y con sus increíbles conocimientos tecnológicos, Leonardo dibujo un millar de precisas ilustraciones del cuerpo, que hoy podemos ver.

Vesalio, un médico, estaba aburrido de que los demás doctores pretendieran no darse cuenta de que el interior del cuerpo no se parecía en nada a lo descrito los polvorientos libros antiguos. Así que empezó a robar cuerpo de criminales ejecutados, llevárselos a casa y abrirlos para ver cómo estaban hechos por dentro. Guardaba algunos cuerpos durante semanas, así que debió de tener ¡vecinos comprensivos!.

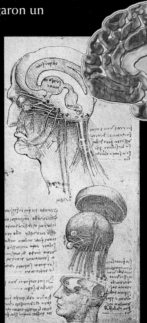

SECCIÓN DEL CEREBRO DIBUJADO POR LEONARDO Y EN UN MODERNO ESCÁNER.

En 1543 Vesalio publicó sus notas en un libro titulado *De Humanis Corporis Fabrica* que, para los que no sabéis latín, significa *La estructura del cuerpo humano*. Hubo un escándalo, pero se demostró que tenía razón Vesalio, no Galeno.

## Ladrones de cuerpos

En la Inglaterra del siglo XVI, los médicos que querían estudiar o enseñar anatomía sólo podían usar cuerpos de criminales ejecutados. Pero el repentino interés por la anatomía hacía que no se pudiera mantener la demanda de cuerpos muertos.

Algunos tipos listos no tardaron en darse cuenta de que se podía ganar mucho dinero vendiendo cuerpos a médicos sin escrúpulos. Bandas de "ladrones de cuerpos" desenterraban cadáveres recién enterrados de los cementerios y los vendían en las escuelas médicas.

Hacia 1820, dos ladrones de cuerpos escoceses se cansaron de desenterrar cuerpos. William Burke y William Hare decidieron asesinar gente para proporcionar cadáveres recién muertos a su cliente. No tardaron en cazarlos. Hare traicionó a Burke, que fue colgado y luego ¡diseccionado!

**V er un cuerpo por dentro**
Hasta finales del siglo XIX, lo único que podían hacer los médicos para ver dentro del cuerpo (vivo o muerto) era cortar y abrir. Pero en 1895 cambiaron las cosas. El científico alemán Wilhelm

> ## CURIOSIDADES
> WILLIAM HARVEY –EL DOCTOR QUE EXPLICÓ LA CIRCULACIÓN DE LA SANGRE EN 1628– TUVO QUE DISECCIONAR A SU PADRE Y A SU HERMANA PARA SEGUIR INVESTIGANDO.

Roentgen descubrió que los rayos X podían atravesar cosas blandas, como la piel y los músculos, pero no las duras, como los huesos. Roentgen dejó boquiabierto el mundo médico cuando, proyectando rayos X sobre película fotográfica a través de un cuerpo, consiguió una imagen del interior que mostraba los huesos, pero no los tejidos blandos. Ahora los médicos ya podían ver fracturas o cosas sorprendentes como balas o monedas tragadas.

Entre los años setenta y ochenta hubo muchos otros inventos. Uno es la imagen por resonancia magnética, que combina el magnetismo y las ondas de radio para producir "filetes" del cuerpo sin derramar una gota de sangre. Otro es el ultrasonido, que manda ondas de sonido cuyo eco rebota mostrando lo que pasa dentro. El ultrasonido es

LADRONES DE CUERPOS EN PLENA FAENA.

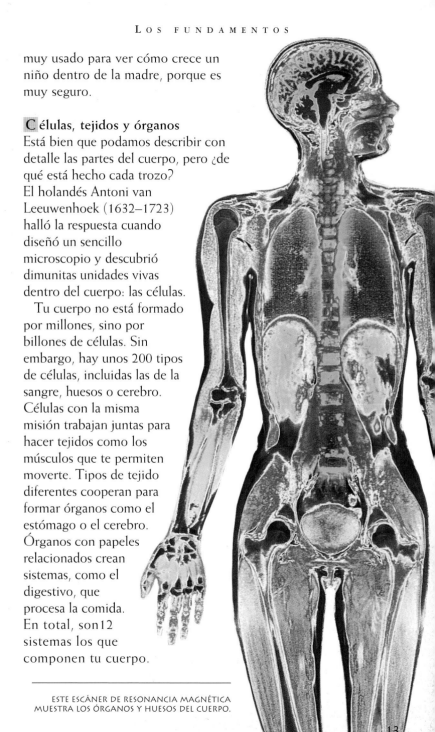

muy usado para ver cómo crece un niño dentro de la madre, porque es muy seguro.

## Células, tejidos y órganos

Está bien que podamos describir con detalle las partes del cuerpo, pero ¿de qué está hecho cada trozo? El holandés Antoni van Leeuwenhoek (1632–1723) halló la respuesta cuando diseñó un sencillo microscopio y descubrió dimunitas unidades vivas dentro del cuerpo: las células.

Tu cuerpo no está formado por millones, sino por billones de células. Sin embargo, hay unos 200 tipos de células, incluidas las de la sangre, huesos o cerebro. Células con la misma misión trabajan juntas para hacer tejidos como los músculos que te permiten moverte. Tipos de tejido diferentes cooperan para formar órganos como el estómago o el cerebro. Órganos con papeles relacionados crean sistemas, como el digestivo, que procesa la comida. En total, son 12 sistemas los que componen tu cuerpo.

ESTE ESCÁNER DE RESONANCIA MAGNÉTICA MUESTRA LOS ÓRGANOS Y HUESOS DEL CUERPO.

# CARNE Y HUESOS

S in su esqueleto como soporte, el cuerpo sería tan inútil como una tienda de campaña sin mástiles. En otras palabras, ¡estarías desparramado por el suelo, sin poder llegar al mando de la tele! Para que funcione, los huesos necesitan carne o músculos. Cientos de músculos óseos tiran de tus huesos para que puedas andar, escribir y hacer miles de cosas. Los músculos y los huesos dan forma, soporte y movimiento a tu cuerpo.

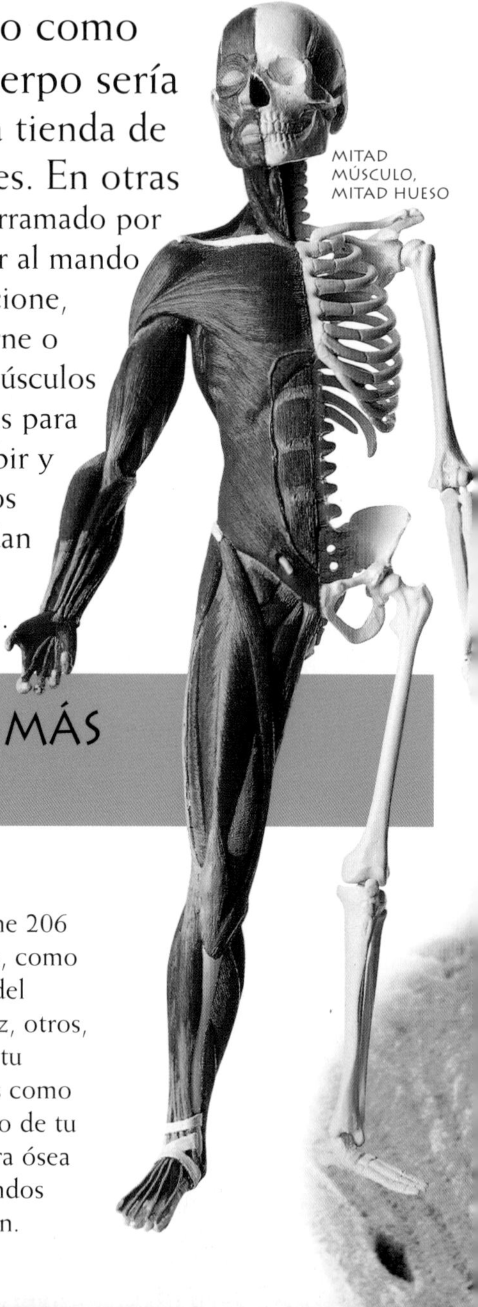

MITAD MÚSCULO, MITAD HUESO

## EL HUESO PESA MÁS QUE EL ACERO

### E structura ósea

¿Sabías que tu esqueleto tiene 206 huesos? Algunos pequeñitos, como el estribo, dentro del oído, del tamaño de un grano de arroz, otros, como el poderoso fémur de tu muslo, son grandes y fuertes como para acarrear tu peso. Dentro de tu flexible pero fuerte estructura ósea se protegen los órganos blandos como el cerebro o el corazón.

14

CONÉCTATE
www.zonamedica.com.ar
categorías/medicinailustrada/

Tus huesos también proporcionan enganche a los músculos, de forma que puedas tirar de ellos y hacer que tu cuerpo salte, baile y corra cuando quieras.

## De qué están hechos los huesos

La gente suele pensar en los huesos como algo seco, polvoriento y muerto, porque es así como los puede ver. Pero dentro de una persona viva, los huesos no tienen ese aspecto. Tienen un tercio de agua, están llenos de nervios y vasos sanguíneos, y contienen células que reconstruyen y remodelan constantemente tus huesos. Los huesos vivos están hechos de sales minerales para la dureza y fibras de colágeno para la fueza.

Después de la muerte, el colágeno se descompone dejando sólo un armazón de huesos duros pero frágiles.

Para ver dentro de los huesos necesitarías un microscopio, que te mostraría que están hechos de diferentes partes. La capa interior del hueso tiene tubos de tejido óseo que lo recorren, como un periódico enrollado, y le dan vigor. Como están apretados juntos, estos tubos se llaman hueso compacto.

Más adentro, el hueso parece un panal. Puntales y huecos forman un hueso esponjoso: fuerte pero ligero. Si no fueran así, serían tan pesados que no podrías mover tu cuerpo.

VASOS SANGUÍNEOS Y NERVIOS DENTRO DE UN HUESO VIVO

HACIENDO YOGA SE MANTIENEN LAS ARTICULACIONES MÁS FLEXIBLES.

### Fábrica de sangre

Además de aguantar tu cuerpo, los huesos crean las células de sangre roja que van como una bala por todo tu cuerpo. La fábrica de células de sangre se encuentra en la médula ósea, una cosa gelatinosa que hay dentro de los huesos. Hay dos tipos de médula. Una médula gorda y amarilla (que les encanta a los perros cuando chupan un hueso) y que no fabrica células de sangre. Pero sí lo hace la médula roja que se encuentra en la columna vertebral, las costillas, el

## LA MÉDULA FABRICA 2.000.000 DE CÉLULAS DE SANGRE POR SEGUNDO

Te parecerá raro, pero cuando eras más pequeño tenías más huesos en tu esqueleto. Un recién nacido tiene más de 300 "huesos". De hecho, algunos de esos "huesos" no son muy duros. Están formados por cartílago, el material que permite a tu nariz y a tus orejas que se doblen. Conforme te haces mayor, el hueso de verdad va reemplazando al cartílago para hacer que tus huesos sean más largos y fuertes. Algunos huesos se juntan y por eso acabas teniendo menos que al principio.

esternón y la pelvis. A gran velocidad la médula roja produce en serie la cantidad exacta de células rojas de sangre necesarias para reemplazar las desgastadas.

ESTAS MANOS VISTAS CON RAYOS X MUESTRAN CÓMO LOS HUESOS (EN COLOR PÚRPURA) REEMPLAZAN AL CARTÍLAGO MIENTRAS TE HACES ADULTO.

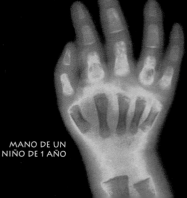

MANO DE UN NIÑO DE 1 AÑO

## Moviendo las articulaciones

Toma un trozo de tu comida favorita y, sin doblar en absoluto el brazo, métetelo en la boca. ¡A que es imposible! Demos gracias a Dios por las articulaciones, los puntos del esqueleto que se doblan donde se encuentran los huesos y hacen posible el movimiento. Unas, como las de la cadera y la espalda, permiten el movimiento rotatorio. Otras, como la rodilla, sólo permiten mover de atrás adelante. Para evitar que rechinen cuando te mueves, muchas articulaciones tienen dentro un líquido espeso aceitoso para que funcionen suavemente, como una máquina bien engrasada.

El cráneo tiene un tipo diferente de articulación.

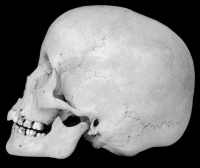

LAS SUTURAS DEL CRÁNEO DE ESTE NIÑO DE 6 AÑOS ENCAJAN COMO EN UN PUZZLE.

Aprieta los dedos contra los lados de tu cabeza. A menos que seas un alien, no podrás meterlos dentro. Esto es así porque, aunque el cráneo está hecho de 22 huesos separados, sus junturas no se mueven. Se llaman suturas y los mantienen unidos como las

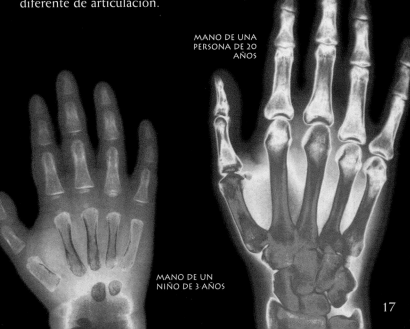

MANO DE UNA PERSONA DE 20 AÑOS

MANO DE UN NIÑO DE 3 AÑOS

17

dirección incorrecta. A veces, si empujas tus huesos demasiado lejos, se salen de sus articulaciones y desgarran los ligamentos. Un sitio típico donde ocurre es la espalda. Los médicos lo llaman dislocación y necesitamos de su habilidad para volver a colocar los huesos en su sitio sin pellizar nervios ni hacer crujir los tejidos. ¡Ay!

piezas de un puzzle. Esto hace que el cráneo sea realmente duro, ideal para proteger tu blando cerebro y mantener la silueta de tu cara. Sólo hay un hueso del cráneo que se mueve: la mandíbula inferior. ¡Por fortuna! Si no, no podrías abrir la boca la para comer.

Aunque son geniales para mantener el esqueleto flexible, las articulaciones sin los ligamentos servirían de poco. Los ligamentos son correas fuertes, pero elásticas, que unen los huesos a las articulaciones, como en la rodilla. Impiden que los huesos se muevan demasiado o en la

## Manos manejables

Con todo esto, te habrás dado cuenta de lo importantes que son huesos, articulaciones y ligamentos. Tus manos son un buen ejemplo. Desde que nuestros peludos antepasados dejaron de andar a cuatro patas, los humanos han dado a sus manos la libertad de hacer todo tipo de cosas. Escribir, atarse los zapatos o levantar un peso son sólo algunas tareas que pueden desempeñar tus manos. ¿Por qué son tan versátiles?

• Cada mano está hecha de 27 huesitos que la hacen muy flexible.

• Tu pulgar puede tocar la punta de los otros cuatro dedos.

• Unos 20 músculos del antebrazo tiran de los huesos de la mano. Lo hacen usando largos tendones (los notarás en la palma de la mano o bajo la

LOS LIGAMENTOS (MARRÓN) AL REDEDOR DE LA RODILLA MANTIENEN JUNTOS LOS HUESOS.

muñeca), para producir cientos de movimientos distintos, del fuerte agarrón a la delicada caricia.

Como tus huesos duran más que tú, la gente puede conocer el aspecto del esqueleto. Pero saber cómo son los músculos era más complicado hasta hace poco. Veámos cómo están hechos.

LA PALABRA "MÚSCULO" VIENE DEL LATÍN. A LOS ROMANOS, UN MÚSCULO QUE SE CONTRAE LES PARECÍA UN RATONCITO (MUSCULUS) MOVIÉNDOSE DEBAJO DE LA PIEL.

### ¡Enseña los músculos!

No habrías querido ser un criminal hace siglos, ¡podrías haber acabado desollado! Este asqueroso proceso incluía arrancar cuidadosamente la piel para mostrar la musculatura ósea que hay debajo. Muy útil para que los alumnos de medicina aprendieran cómo funcionan los músculos.

¿De qué están hechos los músculos? De células llamadas fibras. A diferencia de la mayoría de las células, no son pequeñas y compactas, sino largas y empaquetadas con especiales filamentos fibrosos. Estos filamentos hacen que los músculos se contraigan o

MODELO DE CERA, HECHO EN ITALIA EN 1785, QUE MUESTRA LOS MÚSCULOS DEL CUERPO.

reduzcan. Y lo hacen cuando tu cerebro –el jefe– lo dice, enviando señales nerviosas. Si se contraen las fibras de un músculo, todo el músculo se contrae y esa parte del cuerpo se mueve.

## Mercado de carne

Para imaginarte cómo son tus músculos, date una vuelta por la carnicería más cercana (vegetarianos, ¡abstenerse!). Esos trozos de sangre roja son musculatura ósea de ovejas, vacas y otros animales. La "carne" de tu cuerpo es el 40 por ciento del peso de tu cuerpo.

LA MADRE DE AQUILES LO SUMERGE EN LA LAGUNA ESTIGIA PARA HACERLO INMORTAL.

TRICEPS    BÍCEPS

TRICEPS Y BÍCEPS TRABAJAN JUNTOS PARA QUE TU BRAZO SE MUEVA ARRIBA Y ABAJO.

## Tendones

Encima del talón, en la parte de atrás de tu pierna, puedes notar una cresta de tejido bastante sólida. Es tu tendón de Aquiles. Como otros tendones es una resistente cuerda que une los músculos a los huesos.

Aquiles fue un héroe griego. Cuando era niño su madre lo cogió del talón y lo sumergió en el río Estigia para hacerlo inmortal. Funcionó bien hasta que le dispararon una flecha en su talón no sumergido y murió. Del triste mito le viene el nombre de tendón de Aquiles. Gracias a él, los músculos de la pantorrilla tiran del hueso del tobillo para bajar el pie.

## Estira y empuja los músculos

Puede que estirar sea una especialidad de los músculos,

pero no empujar. Las fibras musculares usan energía para contraerse y luego se relajan para volver a su tamaño normal. Si, por ejemplo, quieres doblar y poner derecho tu brazo, por lo menos necesitas dos músculos: el bíceps, para empujar los huesos y que se doblen en un sentido, y el tríceps para empujar en sentido contrario y ponerlo recto. Así están dispuestos los músculos del cuerpo: unos empujan los huesos en un sentido y otros en el contrario.

Algunos no paran de trabajar mientras estás despierto. Los de la espalda, cuello y nalgas, por ejemplo, están parcialmente contraídos para mantenerte de pie o en una postura. Eso es el tono muscular, que desaparece cuando te duermes. Por eso un cuerpo dormido se afloja del todo.

### E stira la cara

En todo el mundo una sonrisa significa lo mismo. Así que no frunzas el ceño. Más de 20 pequeños músculos alrededor de los ojos, nariz y boca producen las expresiones faciales que muestras cuando estás contento, cansado, asustado, triste, enfadado, sorprendido o disgustado.

Los músculos de la cara son raros porque, en lugar de tirar de huesos, estiran la piel de tu cara. Una leve contracción puede cambiar tu expresión facial para revelar un sutil cambio de humor. La única forma de ocultar a otros tus sensaciones es ponerte una careta de cartón.

LA EXPRESIÓN DE LA CARA DE ESTE MAHORÍ MUESTRA QUE ESTÁ LISTO PARA LA LUCHA.

## CURIOSIDADES

LAS LENGUAS TAMBIÉN ESTÁN FORMADAS POR MÚSCULOS QUE LA HACEN MÁS GRUESA O DELGADA, MÁS LARGA O CORTA, SEGÚN LA ESTIRAN AFUERA O LA ENCOGEN PARA ADENTRO, AYUDÁNDOTE A HABLAR, TRAGAR... O PARECER AGRESIVO.

# SENTIDOS SENSACIONALES

**J**usto ahora, millones de pequeños sensores están enviando un torrente de mensajes a tu cerebro para decirle qué pasa dentro y fuera de tu cuerpo. Sensores táctiles de dolor, presión, calor, frío los hay por todo el cuerpo. Otros 4 sentidos (vista, oído, gusto, olfato) tienen sensores en órganos específicos: ojos, oídos, lengua y nariz.

## TUS OJOS CONTIENEN EL 70% DE LOS SENSORES DE TU CUERPO

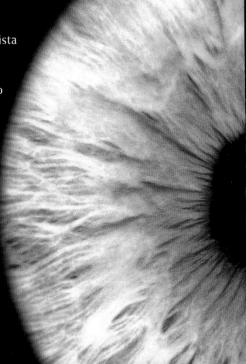

**A**bre los ojos

De todos los sentidos, la vista es seguramente el más importante, porque te da una imagen en movimiento del exterior. Te permite ver lo necesario para leer este libro, llegar hasta el frigorífico, jugar al fútbol y reconocer a tus amigos. Para que veas, tus ojos detectan luz y tu cerebro genera las imágenes.

Como las pelotas de golf en el hoyo, tus ojos están protegidos en sus cuencas óseas del cráneo. El revestimiento interior del globo ocular es una capa fina llamada retina, que está llena de millones de sensores de luz. La luz reflejada en los objetos que te rodean, zumba a través del trozo claro de delante –la córnea que cubre el iris y la pupila– y es enfocada por la lente que hay en la retina. Los patrones de luz golpean los sensores y éstos envían señales a la parte de atrás de tu cerebro. Aquí se ponen en orden los

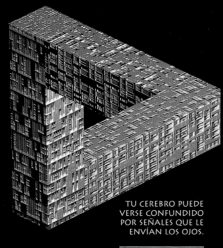

TU CEREBRO PUEDE VERSE CONFUNDIDO POR SEÑALES QUE LE ENVÍAN LOS OJOS.

mensajes y tu puedes "ver" lo que tienes delante.

**E**ngaños visuales
El cerebro usa todo tipo de pistas para generar imágenes a partir del flujo de señales que le envían los ojos. A veces las pistas no son claras y el cerebro no está seguro de qué hacer con la

LA PUPILA SE ENSANCHA CON POCA LUZ Y SE HACE MÁS ESTRECHA CON LUZ BRILLANTE.

EL IRIS TIENE UNA AMPLIA GAMA DE COLOR.

LAS GAFAS AYUDAN AL OJO A ENFOCAR BIEN, Y LOS OJOS DE CRISTAL REEMPLAZAN LOS PERDIDOS.

el aire, se abren camino hacia el oído interno donde está la cóclea, que tiene forma de caracol.

Dentro de la cóclea hay unos 15.000 sensores de sonido con montones de pelillos brotando de ellos. Cuando las ondas de sonido rebotan dentro, aplastan los pelillos y esto hace que los sensores envíen un mensaje a tu cerebro a través de los nervios.

información que recibe. Así ocurren las ilusiones ópticas. ¡Han engañado a tu cerebro!

### ¡Escucha, escucha!

Esas cosas que te cuelgan a los lados de la cabeza, las orejas, forman parte del órgano sensitivo que detecta los sonidos. Las piezas principales del oído están escondidas dentro de los huesos del cráneo. Para encontrarlas hay que viajar por el canal auditivo y se entra por el agujero que hay en medio del pabellón auditivo. Más allá del tímpano están los huesecillos del oído interno.

Cuando un bebé chilla, afina la orquesta o te grita tu hermana, se emiten unas vibraciones, llamadas ondas sonoras, que ondulando por

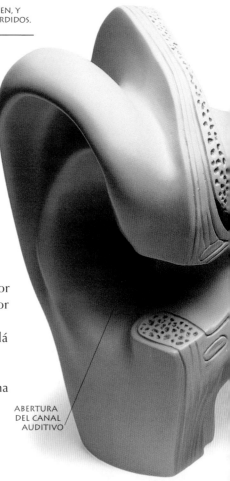

ABERTURA DEL CANAL AUDITIVO

AL ENTRAR LAS ONDAS DE SONIDO EN TU OÍDO, ESOS PELILLOS SE MUEVEN Y HACEN QUE LOS NERVIOS ENVÍEN UN MENSAJE AL CEREBRO.

HUESECILLOS

CÓCLEA

TÍMPANO

## E quilibrio

Permíteme añadir un sentido extra relacionado con el oído: el sentido del equilibrio, que te impide caerte y te dice si estás cabeza abajo o no.

Sensores del oído interno –junto al caracol– le dicen a tu cerebro si te estás moviendo hacia adelante, hacia atrás o hacia un lado o si estás erguido, tumbado o del revés.

Con mensajes extra de tus

Tu cerebro es tan listo que puede distinguir de un grito estridente a un gemido de tono muy bajo, de una fuerte banda de rock a un alfiler que cae.

MODELO QUE MUESTRA EL INTERIOR DE UN OÍDO HUMANO.

ojos, pies y músculos, el cerebro tiene información suficiente para pellizcar tus músculos, mover tu cuerpo y mantenerlo equilibrado.

## ¡Cómo duele!

Aunque el dolor hace daño, es una sensación muy útil. Es una señal de aviso que le dice a tu cuerpo que puede ser dañado. De los tres millones de sensores de dolor esparcidos por tu cuerpo, la mayoría están en la piel. Ellos te hacen sentir dolores agudos, como cuando te pinchas con una aguja. Los sensores del interior del cuerpo producen dolores de mayor duración como los músculos inflamados o los calambres de estómago.

La tensión puede hacer que el cuerpo produzca analgésicos naturales. Esto explica que soldados gravemente heridos en batalla no sientan nada, hasta que acaba la lucha y el efecto se pasa.

¡A LA MAYORÍA ESTO LE PARECERÍA DOLOROSO!

tocar, por ejemplo, terciopelo y papel de lija. Los sensores de presión te permiten percatarte de si te pisa un amigo o un elefante (a no ser que tu mejor amigo sea un elefante). Y hay más. Toma un puñado de cubitos de hielo y los sensores de frío le dirán enseguida a tu cerebro que tus dedos se empiezan a helar. O cuando sin darte cuenta metes el pie en una bañera demasiado caliente, los sensores de calor te gritan que lo saques antes de que se te cueza.

Pero hay algo raro. ¿Por qué cuando llevas la ropa no notas la aspereza que sientes cuando

## Tacto susceptible

Además de los detectores de dolor, hay toda una brigada de sensores del tacto en tu piel. Algunos detectan ligeros roces, otros vibraciones, otros captan distintas cantidades de presión. Te darás cuenta sólo con

### CURIOSIDADES

ALGUNAS PERSONAS A LAS QUE SE LES HA AMPUTADO UN BRAZO O UNA PIERNA PUEDEN SENTIR AÚN DOLOR O PICOR EN EL MIEMBRO PERDIDO. A ESTO SE LE LLAMA MIEMBRO FANTASMA, PORQUE ES UN RECUERDO DE LO DESAPARECIDO.

www.hhmi.org/senses_esp/

CONÉCTATE

te rozan la piel? Notas la ropa cuando te la pones, pero la sensación desaparece enseguida. Simplemente, tu cerebro "ignora" las señales que vienen de los sensores de tacto de tu piel. Los científicos lo llaman habituación. Sin ello, la vida cotidiana sería realmente incómoda, llena de picores.

## B uen gusto

También tu lengua tiene sensores del tacto (aunque es preferible usar los dedos para detectar la moneda que se te cayó detrás del sofá). Puede detectar calor (útil para evitar que te quemes con comida muy caliente) y tiene detectores de frío, para que sientas el frescor de un helado. También tiene sensores de dolor, que los puede desencadenar un componente químico de los chiles: la capsaicina. Por eso saben dolorosamente picantes. Pero lo más importante es que tu lengua puede reconocer sabores.

Mírate la lengua en un espejo y verás un montón de bultitos llamados papilas. Algunas

VISTA AUMENTADA DE LA SUPERFICIE DE UNA LENGUA. LOS RECEPTORES GUSTATIVOS ESTÁN BAJO LAS GRANDES PAPILAS ROJAS Y REDONDAS.

papilas en el microscopio parecen redondas y otras puntitos. Hay unas 10.000 protuberancias (sensores del sabor) en los pliegues laterales alrededor de las papilas. Cuando comes algo, las

Es más, los adultos pueden identificar 10.000 olores distintos y los niños lo hacen incluso mejor. El olfato funciona casi igual que el gusto. Respiras por la nariz y las moléculas de olor se disuelven

## LA LENGUA DETECTA 4 SABORES: DULCE, ÁCIDO, SALADO Y AMARGO

moléculas de sabor se disuelven en la saliva y son captadas por los sensores gustativos.

AMARGO

ÁCIDO COMO EL LIMÓN

SALADO

DULCE

LAS ÁREAS DE LA LENGUA RECONOCEN DIFERENTES SABORES.

### Huele esto

Pero, cuando se trata de sensibilidad, el olfato gana al gusto. Es sorprendentemente 20.000 veces más sensible.

en la mucosidad húmeda que hay dentro (lo que sale cuando estornudas). Cuando estas moléculas golpean los detectores de olor en la parte superior de tu cavidad nasal disparan señales hacia el cerebro.

Olfato y gusto trabajan juntos para que puedas apreciar los aromas. La nariz es el jefe en esta sociedad. Si tienes la nariz tapada, el aroma de la comida se hace tan suave que, si te vendaran los ojos, no sabrías decir qué estás comiendo.

A veces los dos sentidos entran en conflicto, como descubren los que comen *durians*. Esta fruta de sureste asiático sabe deliciosa pero huele como un servicio público en un día de calor.

Además de permitirte apreciar aromas de buena comida y de flores, el olfato sirve para otras

(lo cual ahorra mucho gasto de teléfono). Más rara es la telequinesia, que permite mover objetos sólo con el pensamiento. Aunque muchos científicos no lo creen y se quedan con los cinco sentidos. ¡Por ahora!

cosas. Te ayuda a evitar el contacto con la comida podrida que apesta y a alertarte de peligros, como el humo y el fuego. Y, si eres rociado por una mofeta, quema tus ropas y aléjate de tus amigos una semana. Lo que echa la mofeta contiene *mercaptan*, la sustancia más fétida del mundo. Los humanos pueden detectarlo sólo con una molécula diluída en 30.000 moléculas de aire. ¡Puf!

## Cinco... ¿o seis?

Ya hemos dicho bastante de los cinco sentido. Pero ¿tienes un sexto sentido extra? Algunas personas piensan que sí. Suelen llamarlo percepción extrasensorial. Un misterioso sexto sentido que al parecer te permite usar la telepatía para leer la mente de los demás o enviarles pensamientos sin hablar

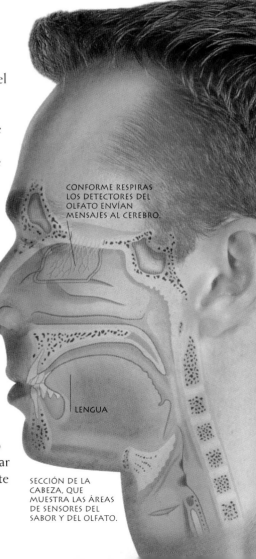

CONFORME RESPIRAS LOS DETECTORES DEL OLFATO ENVÍAN MENSAJES AL CEREBRO.

LENGUA

SECCIÓN DE LA CABEZA, QUE MUESTRA LAS ÁREAS DE SENSORES DEL SABOR Y DEL OLFATO.

# CEREBRO PODEROSO

¿Qué es eso gris rosado, que parece un huevo cocido, arrugado como una nuez. ¡Es tu cerebro! Puede parecer increíble pero esta masa frágil es responsable de tu personalidad e inteligencia, tu capacidad de comunicación, imaginación y memoria y controla lo que hace el cuerpo. Es blando y vulnerable, pero el cráneo lo protege.

STEVE MARTIN SE ENAMORA DE UN CEREBRO EN LA PELÍCULA "EL HOMBRE CON DOS CEREBROS".

**L**a protección del cerebro

El blando cerebro está seguro en el cráneo, acolchado y nutrido por una sustancia acuosa llamada fluido cerebroespinal. El fluido absorbe los golpes que podrían dañarlo. Esta protección no ha impedido que la gente curiosa investigue el cerebro. En la Edad de Piedra era frecuente la trepanación (hacer perforaciones en el cráneo) Se pensaba que descubrir el cerebro curaba dolores de cabeza y enfermedades mentales.

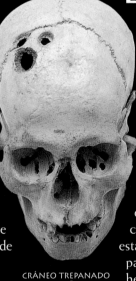

CRÁNEO TREPANADO DE 4.000 AÑOS DE EDAD.

**L**ados izquierdo y derecho

Hoy sabemos mucho más del cerebro. Los científicos han descubierto que diferentes partes del cerebro están involucrados en la visión, la audición, el movimiento, el tacto, el habla, etcétera. Si miras el cerebro verás que está dividido en dos partes llamados hemisferio cerebral derecho y hemisferio cerebral izquierdo. El izquierdo controla el lado derecho del cuerpo y el derecho controla la parte izquierda. Por lo general el hemisferio izquierdo es el dominante y eso hace que la mayoría de la gente sea diestra. Este hemisferio también controla el habla, la escritura, los números y la solución de problemas, mientras que el derecho es el del arte, la música y el reconocimiento de caras.

**C**ambios de personalidad
Dentro de cada hemisferio también están divididas las funciones. Por ejemplo, sabemos que la parte frontal es responsable de la personalidad por un accidente que tuvo en trabajador ferroviario de EE.UU., Phineas Gage. En 1848, una explosión accidental metió una barra de acero de 2,5 cm de diámetro por el pómulo izquierdo de Gage y atravesando el cerebro salió por lo alto del cráneo. Sorprendentemente Gage sobrevivió, pero empeoró su temperamento, se hizo perezoso y brusco, cuando había sido buen trabajador y de buen caracter. Había cambiado su

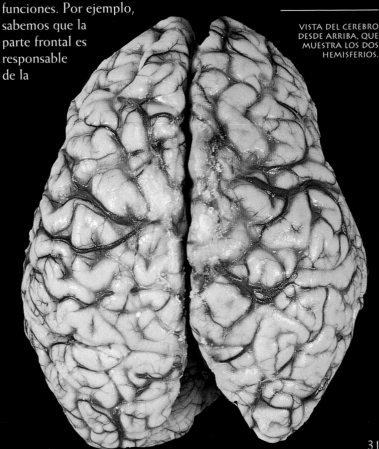

VISTA DEL CEREBRO DESDE ARRIBA, QUE MUESTRA LOS DOS HEMISFERIOS.

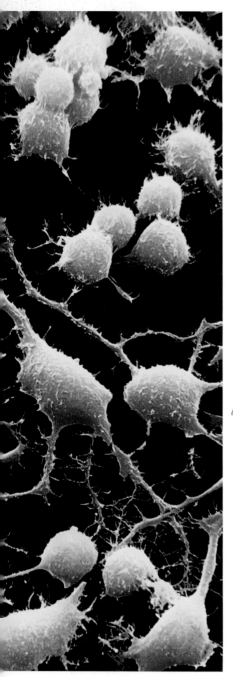

personalidad. La desgracia de Gage demostró que el cerebro tenía distintas partes y estimuló las investigaciones científicas.

## Conexiones cerebrales

Te gustará saber que tu cerebro es tan poderoso y complejo que le saca ventaja al mejor ordenador. ¿Por qué? Dentro del cerebro hay unos 100.000 millones de células nerviosas.

Son las neuronas, células diferentes a las del resto del cuerpo, porque están especializadas en transportar a gran velocidad señales eléctricas llamadas impulsos nerviosos. Cada neurona tiene conexiones con cientos o incluso miles de otras neuronas

DENTRO DE TU CEREBRO, NEURONAS COMO ÉSTAS PROCESAN Y TRANSMITEN IMPULSOS E INFORMACIÓN A LA VELOCIDAD DE LA LUZ.

que, juntas, producen una red de comunicación en masa. Reciben mensajes de sensores como el ojo de forma que puedas ver a dónde vas. Envía instrucciones y así tú puedes hacer cosas como caminar en línea recta y digerir la comida. Y la red analiza y almacena información para que pienses y recuerdes.

conexiones entre las neuronas. Se puede ser brillante, independientemente del tamaño del cerebro.

CONÉCTATE
pon a prueba tus neuronas
www.juegosdelogica.com

## Ondas cerebrales

Tu cerebro tiene ondas cerebrales todo el tiempo, día y noche. Las ondas son

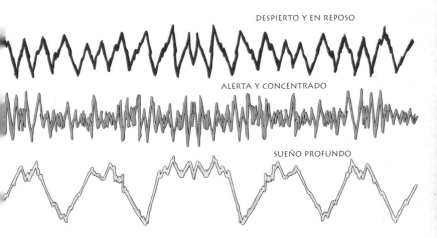

DESPIERTO Y EN REPOSO

ALERTA Y CONCENTRADO

SUEÑO PROFUNDO

ONDAS CEREBRALES PRODUCIDAS POR SEÑALES ELÉCTRICAS EN DIFERENTES ACTIVIDADES.

## Inteligencia

Las conexiones entre los miles de millones de células cerebrales también son responsables de tu inteligencia. Quizá pienses que los hombres son más inteligentes que las mujeres, porque el cerebro del hombre pesa 1,35 kg de media y el de la mujer 1,25 kg. Pero no es así, porque la inteligencia no depende del tamaño del cerebro, sino del número de

producidas por los miles de millones de señales eléctricas que se lanzan de una neurona a otra cada segundo. Las ondas cerebrales cambian según tu actividad: descansar, estar concentrado o dormido en la última fila de la clase.

¿Por qué tienes que gastar un tercio de tu vida durmiendo? Los científicos piensan que

33

dormir le da a tu cerebro tiempo para poner orden en las experiencias del día y a tu cuerpo la posibilidad de descansar. Si no durmieras, pronto te debilitarías y caerías enfermo.

Dormir y estar despierto son parte del ritmo natural de 24 horas controlado por el cerebro. Este reloj natural explica por qué te sientes

Tú piensas lo que quieres decir y una parte del hemisferio izquierdo de tu cerebro manda instrucciones a las cuerdas vocales de tu garganta para emitir sonidos.

Pero hay otras formas de manifestar tus sentimientos. Los gestos y el lenguaje corporal (cómo está colocado tu cuerpo cuando hablas o escuchas) son importantes, pero también tu mirada puede revelar lo que sientes.

**I** magínatelo

Qué gris sería la tu vida si no pudieran ocurrírsete ideas. Escribir una

ESTA PARTE DEL CEREBRO LE DICE A TUS CUERDAS VOCALES QUE EMITAN SONIDOS CON SENTIDO.

cansando a las tres de la madrugada y brillante y alerta a las diez de la mañana (esperemos). Estos ritmos se alteran con facilidad, por ejemplo, por un vuelo de larga distancia a otra zona horaria.

ESTA PARTE INTERPRETA LAS SEÑALES NERVIOSAS ENVIADAS POR TU OÍDO CUANDO OYES.

**T** omando contacto

Cuando estás totalmente despierto, tu versátil cerebro te permite comunicarte con otros seres humanos, por lo general hablando un idioma común.

historia, pintar un cuadro, inventar nuevos pasos de baile o símplemente explicar algo de forma distinta, todo depende de la habilidad de tu cerebro de ser imaginativo y creativo. La mayoría de los pensamientos creativos conscientes y de las ideas proceden del hemisferio derecho, el lado que también aprecia la música y el arte. Pero la imaginación incluye también pensamientos inconscientes. Proceden del interior profundo del cerebro, donde surgen también tus

### B anco de memoria

¿Qué harías sin tu memoria? No podrías acordarte de dónde pasaste las últimas vacaciones, ni aprender nada nuevo, ni reconocer a tus amigos, ni siquiera decir algo con sentido. Así que no está mal que tu

## TU CEREBRO GUARDA MILLONES DE RECUERDOS, ALGUNOS TODA LA VIDA

emociones básicas como la felicidad y la tristeza.

La imaginación es otra parte de tu inteligencia, que incluye la habilidad de resolver problemas, aprender y recordar.

cerebro pueda poner orden en las información que recibe, almacenar lo que quiere guardar

VINCENT VAN GOGH (1853–1890) USÓ SU IMAGINACIÓN PARA CREAR ESTE CUADRO.

y recordar lo que necesita cuando hace falta. Una forma sencilla de aproximarse a la memoria es dividirla en dos tipos. Una es la de trabajo (a corto plazo), que guarda lo que te pasa ahora mismo, como leer

esta frase. Información selecta (como una película de miedo o una frase infrecuente) pasa a la memoria a largo plazo, donde es almacenada. Esta se puede recuperar días, meses o incluso años después. Los recuerdos pueden ser disparados por imágenes u olores almacenados en distintas partes del cerebro.

### ¡Qué nervios!

Tu cerebro se enlaza con el resto del cuerpo por medio de la médula espinal y de los nervios. Del grosor de un dedo, blanda y húmeda, la médula espinal recorre tu espina dorsal y transmite mensajes a y desde el cerebro. Los nervios salen de la médula espinal y se ramifican para llevar impulsos nerviosos a y desde todas las partes de tu cuerpo.

Pero la médula espinal es más que una mera extensión del cerebro. También es responsable de los reflejos que te protegen de los riesgos cotidianos. Si te pinchas con un cactus, ¿qué pasa? Un impulso nervioso sale zumbando de la médula y sin que puedas pensarlo tira del músculo de tu brazo para que apartes la mano.

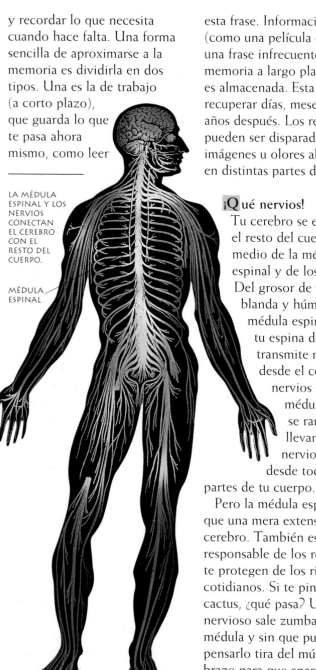

LA MÉDULA ESPINAL Y LOS NERVIOS CONECTAN EL CEREBRO CON EL RESTO DEL CUERPO.

MÉDULA ESPINAL

## Perder la cabeza

Durante mucho tiempo, la decapitación fue un método de ejecución. ¡Ay! Pero, ¿puede sobrevivir el cerebro sin suministro de sangre ni conexión con la médula espinal? Pensarás que es imposible contestar, porque una persona sin cabeza estaría muerta y no nos lo podría decir. Pero un médico francés intentó averiguarlo. En 1905, el doctor Beaurieux vió cómo la guillotina cortaba la cabeza del

UNA HORRIBLE DECAPITACIÓN

## CURIOSIDADES

¿EL DOLOR DE CABEZA ES DOLOR DEL CEREBRO? NO. TU CEREBRO NO TIENE SENSORES PROPIOS, Y REALMENTE NO PUEDE "SENTIR" DOLOR. EL DOLOR DE CABEZA LO SUELEN CAUSAR TENSIONES EN LOS MÚSCULOS DE LA CABEZA Y EN LAS MEMBRANAS QUE RODEAN AL CEREBRO.

famoso asesino Languille. Cuando, segundos después, Beaurieux gritó "¡Languille!" a la cabeza cortada sucedió algo sorprendente. Tres veces en 30 segundos, los ojos del asesino se abrieron y miraron fijamente a los del doctor.

## Un cerebro para vivir

El cerebro de Languille debió de seguir trabajando para él, de forma que escuchara la voz del doctor y abriera sus ojos. El resto de su cuerpo carecía ya de vida, lo que demuestra que el cerebro puede sobrevivir unos segundos sin el cuerpo, pero tu cuerpo es incapaz de sobrevivir sin tu cerebro.

37

# SUMINISTRA SANGRE

Todos conocemos el aspecto de la sangre, pero ¿sabes qué es la sangre? El cuerpo está hecho de billones de células, y todas piden sin parar suministro de comida y oxígeno. Para proporcionar este servicio, el corazón bombea sangre por todo el cuerpo, a través de los vasos sanguíneos del sistema de circulación.

## Líquido carmesí

Es espesa, roja y fluye. La sangre consiste en miles de millones de células que flotan en un líquido llamado plasma. Muchas de estas células, los hematíes, son rojas y dan ese color a la sangre. El resto son o células blancas, los leucocitos, que cazan y matan los gérmenes invasores antes de que causen problemas, o plaquetas, que son responsables del servicio de reparación 24-horas. Si te cortas y dañas un vaso sanguíneo, por ejemplo, las plaquetas se adhieren unas a otras y tapan la grieta. Fuera, tú verás una postilla que ayuda a curar el corte.

## Servicio de suministro

La sangre funciona como un servicio de reparto: entrega oxígeno, comida y otras mercancías a las células del cuerpo y retira los desperdicios, como el

PLAQUETAS

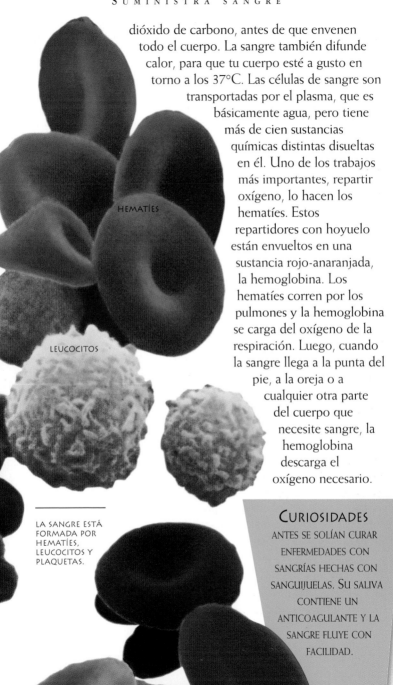

dióxido de carbono, antes de que envenen todo el cuerpo. La sangre también difunde calor, para que tu cuerpo esté a gusto en torno a los 37°C. Las células de sangre son transportadas por el plasma, que es básicamente agua, pero tiene más de cien sustancias químicas distintas disueltas en él. Uno de los trabajos más importantes, repartir oxígeno, lo hacen los hematíes. Estos repartidores con hoyuelo están envueltos en una sustancia rojo-anaranjada, la hemoglobina. Los hematíes corren por los pulmones y la hemoglobina se carga del oxígeno de la respiración. Luego, cuando la sangre llega a la punta del pie, a la oreja o a cualquier otra parte del cuerpo que necesite sangre, la hemoglobina descarga el oxígeno necesario.

HEMATÍES

LEUCOCITOS

LA SANGRE ESTÁ FORMADA POR HEMATÍES, LEUCOCITOS Y PLAQUETAS.

## CURIOSIDADES

ANTES SE SOLÍAN CURAR ENFERMEDADES CON SANGRÍAS HECHAS CON SANGUIJUELAS. SU SALIVA CONTIENE UN ANTICOAGULANTE Y LA SANGRE FLUYE CON FACILIDAD.

## El corazón bombea

Para hacer su trabajo, la sangre necesita ser bombeada por el cuerpo. Esta es la tarea del corazón. Antes la gente creía que el corazón nos daba la personalidad y los sentimientos. Hoy sabemos que es el cerebro el que lo hace.

La sangre usada, pobre en oxígeno, entra en el corazón por grandes venas. Primero pasa por la aurícula derecha, que la comprime hacia el ventrículo derecho y luego a los pulmones para refrescarla con oxígeno. Vuelve a la parte izquierda del corazón, pasa por la aurícula y el ventrículo izquierdos. Entonces el corazón bombea sangre rica en oxígeno allí donde se necesita: por todo el cuerpo.

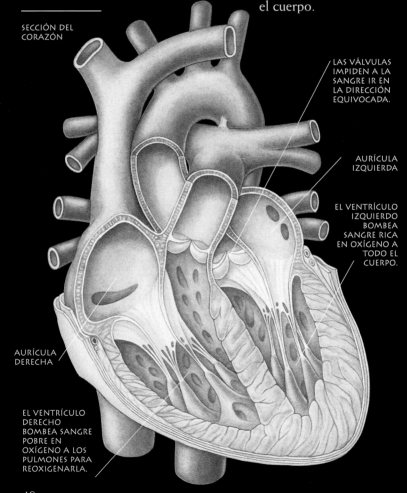

SECCIÓN DEL CORAZÓN

LAS VÁLVULAS IMPIDEN A LA SANGRE IR EN LA DIRECCIÓN EQUIVOCADA.

AURÍCULA IZQUIERDA

EL VENTRÍCULO IZQUIERDO BOMBEA SANGRE RICA EN OXÍGENO A TODO EL CUERPO.

AURÍCULA DERECHA

EL VENTRÍCULO DERECHO BOMBEA SANGRE POBRE EN OXÍGENO A LOS PULMONES PARA REOXIGENARLA.

**L**atidos del corazón
Mientras estás sentado leyendo esto, tu corazón late unas 70 veces por minuto. Un marcapasos natural le hace latir al ritmo adecuado. Si haces

que acababa de morir en un accidente de coche y se lo puso a un hombre de unos 50 años que se moría por una enfermedad del corazón. Por desgracia el hombre vivió sólo

# EL MÚSCULO DEL CORAZÓN NO SE CANSA NI DESCANSA NUNCA

deporte, aumenta el ritmo para que tus músculos reciban más sangre. En cada latido, las dos partes del corazón se relajan para que entre la sangre y se contraen para impulsarla a los pulmones o al resto del cuerpo. En cada latido, las válvulas del corazón se cierran para evitar que la sangre vaya en la dirección equivocada y esto produce un sonido de golpe que puedes ecuchar en el pecho de otra persona.

**N**uevos corazones
A veces el corazón no funciona tan bien como debiera y necesita sustituto. Hoy día, los transplantes son bastante corrientes y dan una nueva oportunidad de vivir a personas con el corazón dañado. Esta operación la hizo por primera vez en 1967 el cirujano sudafricano Christiaan Barnard. Cogió el corazón de una mujer joven

18 días, pero Barnard mostró que el trasplante era posible.

**D**onación de sangre
No sólo el corazón puede pasar de una persona a otra. Sabemos lo vital que es la sangre. Si una persona pierde mucha, muere.

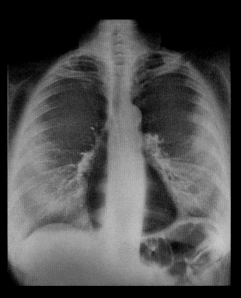

EL CORAZÓN (ROJO) RESIDE EN TU PECHO, PROTEGIDO POR EL ESTERNÓN Y LAS COSTILLAS.

La idea de reemplazar sangre perdida por transfusión (de un donante a un paciente) fue considerada por primera vez en el siglo XVII. Se había intentado con sangre de oveja, perros y, luego, de otros humanos. Unas transfusiones tenían éxito, pero otras hacían enfermar gravemente al paciente o incluso lo mataban.

Nadie sabía con seguridad que iba a ocurrir hasta que el doctor austríaco Karl Landsteiner (1868–1943) descubrió que había cuatro tipos de sangre. Las llamó A, B, AB y O. Landsteiner demostró también que si te donan un tipo inadecuado de sangre (por ejemplo, uno de tipo A recibe sangre de tipo B) sus hematíes se pegan unos a otros. Si esto ocurre, los vasos sanguíneos estrechos se pueden bloquear y el paciente muere. Gracias a los descubrimientos

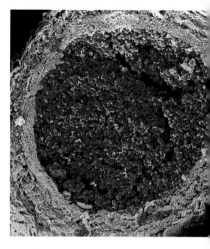

SECCIÓN DE UNA ARTERIA LLENA DE SANGRE

de Landsteiner se hacen a diario transfusiones de sangre seguras.

## Tubos de transporte

Está bien que algo bombee y tener el tipo de sangre correcto, pero ¿cómo llega la sangre allí donde hace falta?

Por fortuna, tenemos una amplia red de tubos, los vasos sanguíneos, que llevan sangre

ESTE MODELO MUESTRA LAS ARTERIAS (ROJO) QUE ENTREGAN Y LAS VENAS (AZUL) QUE RETIRAN LA SANGRE DEL BRAZO Y LA MANO.

CONÉCTATE
www.worldwidehospital.
com/h24h/hemba2.htm

en un viaje circular a cada rincón y resquicio del cuerpo y vuelta al corazón.

Las arterias llevan sangre a alta presión desde el corazón con cada latido. Por suerte, las paredes de las arterias son a la vez fuertes y elásticas. Con cada oleada, las paredes se abultan hacia afuera y luego se retraen. Puedes notar esta acción de salto cuando una arteria está cerca de la superficie de la piel en la muñeca. Cada salto o pulso representa un latido del corazón. ¿Pueden encontrar tu pulso? Manteniendo un dedo sobre él puedes medir el ritmo de tu corazón.

Las arterias se ramifican por todo el cuerpo, a veces hasta vasos microscópicos llamados capilares. Estos capilares son tan pequeños que las células

rojas de la sangre tienen que curvarse lateralmente para caber dentro de ellas. Los capilares pasan por las células de forma que el alimento y el oxígeno se traslade de la sangre a las células.

## De vuelta al corazón

Hecho el trabajo, los capilares se vuelven a enlazar formando venas que llevan sangre pobre en oxígeno de vuelta al corazón. Las venas tienen paredes más finas y la sangre viaja por ellas a poca presión. Las válvulas impiden que la sangre fluya al revés. Las venas devuelven la sangre al corazón para que hagan otro viaje por el sistema circulatorio.

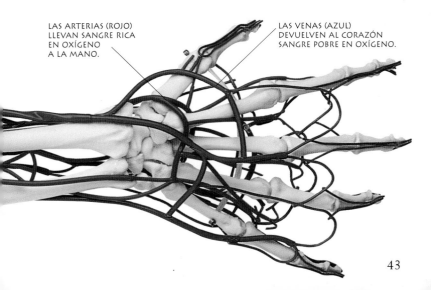

LAS ARTERIAS (ROJO) LLEVAN SANGRE RICA EN OXÍGENO A LA MANO.

LAS VENAS (AZUL) DEVUELVEN AL CORAZÓN SANGRE POBRE EN OXÍGENO.

# PROCESA LA COMIDA

**P**robablemente comes tres veces al día. ¿Que pasa desde que la comida entra por tu boca hasta que salen los desechos por el otro lado? La respuesta es: la digestión. Mientras las comida viaja por los tubos de tus intestinos se va deshaciendo y es digerida para dejar todos los nutrientes que necesitas para mantenerte vivo y sano.

**N**utrientes necesarios

¿Qué has comido hoy? ¿Saltamontes fritos o jugosas orugas en salsa de tomate? Esta comida podría darte asco, pero son deliciosos manjares en algunas partes del mundo. Además tienen tantos nutrientes como una pizza y una ensalada.

¿Qué son esos nutrientes vitales? Los hidratos de carbono y las grasas te dan energía. Las proteínas te ayudan a crecer y llevar a cabo reparaciones en el cuerpo. Las vitaminas, como la C, y los minerales, como el hierro, mantienen a tus células trabajando con suavidad y a ti te mantienen sano. La fibra de la fruta y la hortaliza trabaja para digerirlos bien. Y por último, pero no menos importante, el agua mantiene la humedad (entre otras tareas) y evita que te seques como una pasa.

**L**a energía de la comida

Correr, hablar o incluso estar ahí sentado son actividades que requieren energía, que viene de los alimentos, especialmente de los azúcares y los hidratos de carbono.

Cuánta necesitas, depende de tu edad, sexo y actividad. Una mujer atleta, por ejemplo, necesitará más energía que una que está sentada todo el día en una oficina. Si usas tanta energía como comes, no cambias de peso. La gente que come más de lo que necesita almacena el resto y se hace más pesada y gorda.

EL SALTAMONTES PUEDE SER UNA COMIDA SANA.

LA COMIDA VA DEJANDO LOS NUTRIENTES MIENTRAS PERMANECE EN EL SISTEMA DIGESTIVO, QUE INCLUYE EL ESTÓMAGO (AZUL) Y EL INTESTINO DELGADO (VERDE).

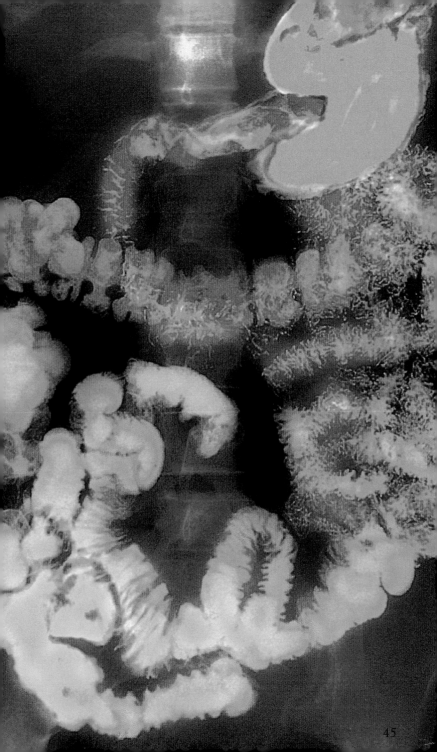

45

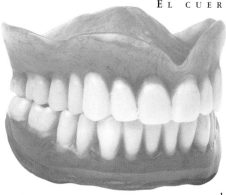

MIRA LOS INCISIVOS, CANINOS, PREMOLARES Y MOLARES EN ESTA DENTADURA FALSA.

### Muchos dientes

La primera fase de la digestión consiste en meter alimento en el cuerpo. A diferencia de la pitón, los humanos no podemos

pero, si tienes un amigo que come con la boca abierta, ¡aprovecha para ver en vivo el proceso de masticación!

### Un trago escurridizo

En todo el sistema digestivo, un moco espeso y viscoso facilita el paso de la comida por los tubos. Es muy importante cuando hay que tragar. Cuando la comida es ya una bola, la lengua la empuja adentro. En cuanto toca la garganta, es empujada automáticamente por un tubo llamado esófago. Aquí una onda

## BORBORIGMOS ES LA ONOMATOPEYA PARA LOS RUIDOS DE TRIPAS

ingerir la comida de un trago. Usamos como herramienta los dientes para desmenuzar la comida en pedacitos que se puedan tragar. En la parte delantera, incisivos y caninos arrancan y cortan comida. Los premolares y molares de detrás, más grandes y planos, aplastan y muelen. Mientras se mueven las mandíbulas, las glándulas salivares añaden chorros de saliva a la masa y la lengua lo mezcla todo. Por lo general, los labios se mantienen cerrados para evitar que salga comida;

de contracciones musculares la estruja para que baje al estómago, igual que haces tú con un tubo de pasta de dientes. En total, 10 segundos.

### Prepara la papilla

Imagina que pones tu plato favorito en una batidora y lo conviertes en papilla. Ese aspecto de gachas espesas tiene la comida después de que el estómago la aplaste y la bata. La comida mascada llega del esófago y recibe una ducha del ácido jugo estomacal que la digiere en parte y mata la mayoría de las bacterias dañinas. También la pulverizan las contracciones de la paredes musculares del estómago.

Después de unas tres horas en el almacén del estómago (o más si has comido algo muy grasiento como una hamburguesa doble con queso) la comida está suficientemente deshecha para pasar a la fase siguiente. El anillo de músculos que protegen la salida se relajan para que la sopa entre en la siguiente sección del sistema digestivo: el intestino delgado. Pero, si tu estómago

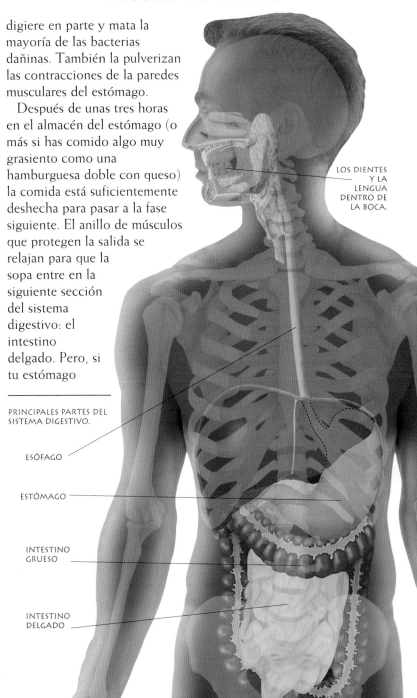

LOS DIENTES Y LA LENGUA DENTRO DE LA BOCA.

PRINCIPALES PARTES DEL SISTEMA DIGESTIVO.

ESÓFAGO

ESTÓMAGO

INTESTINO GRUESO

INTESTINO DELGADO

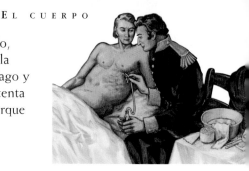

rechaza lo que has comido, puede que te haga arrojarla propulsándola por el esófago y sacándola por la boca. Intenta no devolver en la bici, porque el ácido del vómito ¡le arrancará la pintura!

## D entro del estómago

Gracias a un accidente, el cirujano estadounidense William Beaumont fue pionero en la comprensión de cómo funciona el estómago. En 1822 trató a Alexis Saint-Martin, gravemente herido por un disparo accidental que él mismo había hecho. Sobrevivió, pero

WILLIAM BEAUMONT EXPERIMENTANDO CON EL ESTÓMAGO DE ALEXIS SAINT-MARTIN.

quedó un agujero de bala en su estómago. Durante años Beaumont experimentó con el estómago de Saint-Martin, a pesar de los reparos de éste. Incluso le introdujo distintos tipos de comida por el agujero para ver si era digerida. Estas observaciones por el agujero hicieron famoso a Beaumont.

VELLOSIDADES DENTRO DE TU INTESTINO DELGADO, ABSORBEN EL ALIMENTO Y LO LLEVAN A TU SANGRE.

## El intestino delgado

Esta parte del aparado digestivo será delgada, en comparación con el intestino grueso, pero es bien larga. La más larga del sistema digestivo. Por suerte está enroscada dentro del abdomen. Si no fuera así, deberías medir como una torre de 6,5 m de alto para que te cupiera.

Cuando la papilla alimenticia llega desde el estómago, es bombeardeada de nuevo por jugos digestivos, que contienen muchos elementos químicos para digerir. Se llaman encimas y rompen la comida en pedazos útiles como la glucosa y los aminoácidos. Los nutrientes se arremolinan alrededor de las vellosidades, minúsculos deditos que cubren el interior del intestino delgado. Son vitales para absorber el alimento y transferirlo a la sangre, listo para distribuirlo a todas las células del cuerpo.

## Parásitos

Antes eran frecuentes, por falta de higiene, parásitos como la enorme tenia, larga como una cinta, viviendo en las tripas de la gente. Estos comensales no invitados se revuelcan en la

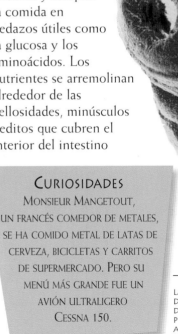

### CURIOSIDADES

MONSIEUR MANGETOUT, UN FRANCÉS COMEDOR DE METALES, SE HA COMIDO METAL DE LATAS DE CERVEZA, BICICLETAS Y CARRITOS DE SUPERMERCADO. PERO SU MENÚ MÁS GRANDE FUE UN AVIÓN ULTRALIGERO CESSNA 150.

LAS VENTOSAS DE LA "CABEZA" DE ESTA TENIA LE PERMITEN ADHERIRSE A TUS INTESTINOS.

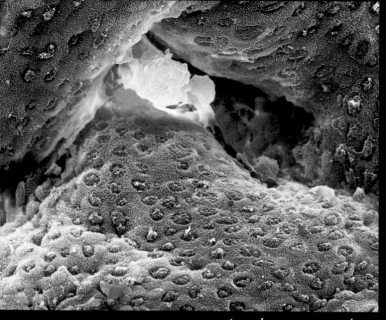

EL INTESTINO GRUESO ABSORBE EL
AGUA DE LA COMIDA NO DIGERIDA.

papilla alimenticia dentro del
intestino delgado y se lo
chupan. Ganchos y ventosas
ayudan a la tenia a adherirse a
las paredes del intestino
delgado y no ser arrastrada
fuera. Por suerte, mejor salud
pública y limpieza hacen que
poca gente coja ya la tenia.

## Factoría fecal

Las heces, los trozos marrones
que salen cuando defecas, o vas
al servicio, se fabrican en el
intestino grueso. Allí, el resto
líquido de comida no digerida
es desecado, porque toda el
agua es valiosa para el torrente

sanguíneo. La gruesa capa de
bacterias "amigas" a lo largo del
intestino grueso deshacen
cualquier resto de comida para
liberar los gases, que crean las
ventosidades, y sustancias
orgánicas que dan a las heces su
olor y el tono marrón que le da
su color. Entre 24 y 48 horas
después de haberte tragado la
comida, las blandas heces
llegan al recto, al final del
intestino grueso. De aquí sale
un mensaje al cerebro que le
dice que es hora de ir al
servicio.

## Barriga descompuesta

Aunque se supone que las heces
son compactas, a veces fluyen
líquidas. Tener diarrea puede

ser muy incómodo porque te hace ir al servicio muchas veces con urgencia. Por lo general la diarrea se produce porque has comido o bebido algo contaminado por una bacteria mala y el cuerpo intenta deshacerse de ella cuanto antes.

## Mary Tifoidea

Era muy fácil coger diarrea si habías comido algo cocinado por Mary Mallon (famosa chef de Nueva York de principios del siglo XX). A todo

el mundo le encantaba su cocina. Lo que no sabían era que ella portaba y transmitía una desagradable enfermedad llamada tifus. Además de causar una mala diarrea, el tifus podía matar.

Conforme sus empleados y sus familias iban cayendo enfermos o muriendo, Mary iba cambiando de

trabajo. Por fin en 1915, Mary fue arrestada y encerrada por el resto de su vida. Así acabó el reinado de terror del tifus de Mary y los problemas de barriga desaparecieron. Siempre hay un riesgo

LA BACTERIA SALMONELLA TYPHIMURIUM PROVOCA DIARREA

de que la comida o la bebida contengan una bacteria dañina como la salmonela. Estos bichos usan el sistema digestivo como medio para meterse en tu cuerpo. Pero, a pesar del riesgo, tenemos que comer y beber, y hacer la digestión para sobrevivir.

# RESPIRA HONDO

Haz una respiración profunda. Fácil, ¿no? Mucha gente inspira y expira sin pensarlo. Cuando respiras, el oxígeno corre por todo tu cuerpo y extrae energía del alimento, dando a tus células poder para su importante tarea. Introducir oxígeno es el papel principal del sistema respiratorio, sin el cual morirías.

## Suministro de oxígeno

La atmósfera de la Tierra contiene un gas, el oxígeno, que necesitamos para vivir. De forma automática inspiramos oxígeno por la boca y la nariz, incluso mientras dormimos.

Hay sitios donde no hay suficiente oxígeno para un ser humano. Por ejemplo, cuando los alpinistas suben a gran altura, la cantidad de oxígeno desciende mucho y necesitan respirar con máscaras conectadas a bombonas de oxígeno. Lo mismo les pasa a los submarinistas.

## Oxígeno para la energía

Estés donde estés, ahora mismo dentro de tus células, los pequeños mitocondrios con forma de salchicha usan oxígeno. ¿Para qué? Para sacar la energía almacenada en la glucosa que tenían los alimentos que acabas de comer. Esto da potencia a la actividad que mantiene vivas a las células y mantiene el calor interior. Como residuo se produce dióxido de carbono.

## Inspira, expira

Para que este importante proceso tenga lugar, tu cuerpo

LOS MITOCONDRIOS (VERDE) USAN OXÍGENO PARA SACAR ENERGÍA DE LA COMIDA.

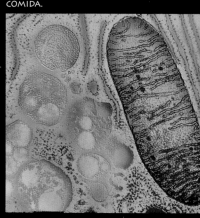

tiene que inspirar aire a tus pulmones, que llenan casi todo el espacio que hay dentro de tu pecho. La respiración lleva suministro de oxígeno fresco a tus pulmones y expulsa el dióxido de carbono. La parte del cuerpo responsable de hacer esto es un par de grupos de músculos: el diafragma, una gran lámina de músculo debajo de los pulmones y los músculos

de las costillas. Cuando ambos se contraen, las costillas suben y el diafragma baja, aumentando el espacio del pecho mientras entra aire en los pulmones. Cuando se relajan los músculos y se reduce el espacio, expiras y el aire sale de los pulmones.

### Pulmones blandos
Los pulmones no son duros y sólidos, como

PRINCIPALES PARTES DEL SISTEMA RESPIRATORIO

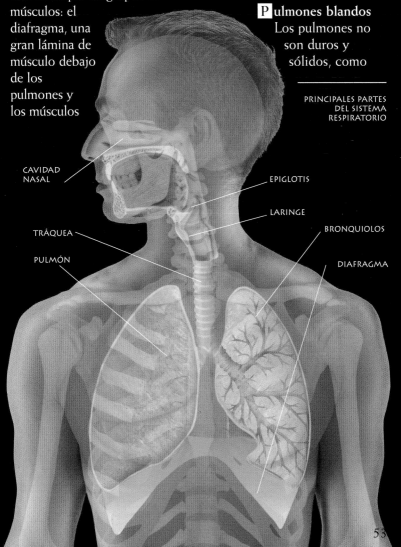

CAVIDAD NASAL

EPIGLOTIS

LARINGE

TRÁQUEA

BRONQUIOLOS

PULMÓN

DIAFRAGMA

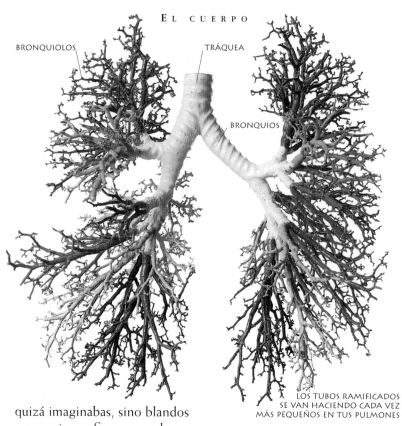

BRONQUIOLOS

TRÁQUEA

BRONQUIOS

LOS TUBOS RAMIFICADOS
SE VAN HACIENDO CADA VEZ
MÁS PEQUEÑOS EN TUS PULMONES

quizá imaginabas, sino blandos y esponjosos. Son masas de tubos que se ramifican desde los bronquios, llevando aire a ambos pulmones. Los tubos más pequeños, los bronquiolos, acaban en microscópicas bolsas de aire.

El nombre de estas bolsas de aire es alvéolos. El oxígeno pasa a través de las paredes de los alvéolos, finas como el papel, antes de que la sangre lo saque rápidamente para llevarlo a las células del cuerpo. A cambio, el dióxido de carbono hace el viaje inverso de la sangre al aire de los alvéolos. Y luego lo

expulsa fuera. El intercambio de gas no es una operación a pequeña escala. Está ocurriendo ahora mismo en los 300 millones de alvéolos de tus pulmones.

## Control respiratorio

Como ocurre con la mayoría de las partes del cuerpo, el cerebro es el centro de control. La parte del cerebro que le une a la médula espinal te hace respirar de 12 a 18 veces por minuto cuando estás en reposo. Si te pones a correr, respiras más rápido y profundo para meter más oxígeno en tu cuerpo y aumentar la energía.

### ¡Vaya bostezo!

A veces te sientes cansado y bostezas. No sabemos por qué el bostezo de uno hace bostezar a los demás. Pero sí sabemos por qué bostezas. Si estás aburrido o cansado, tu respiración se hace más lenta y el nivel de dióxido de carbono aumenta. Esto desencadena una honda respiración con la boca abierta (por favor, ¡tápate con la mano!) que expulsa dióxido de carbono de los pulmones y mete mucho oxígeno fresco. Si la clase es aburridísima, ni siquiera un buen bostezo impedirá que te duermas.

### Atrapar la suciedad

Todo el aire que respiramos contiene polvo, suciedad y gérmenes como los virus y bacterias. Cualquiera de ellos pueden dañar los frágiles bronquiolos o los alvéolos, así que la nariz funciona como filtro. La capa de moco pegajoso atrapa las partículas. Cuando sales de una sala polvorienta y te suenas la nariz, ves lo que ha quedado en el filtro.

# LOS ALVÉOLOS EXTENDIDOS PUEDEN CUBRIR 1/3 DE UN CAMPO DE TENIS

### Prohibido fumar

El filtro de la nariz no sirve de mucho con los cigarrillos, porque la gente fuma por la boca. Las partículas de humo van directamente a los pulmones, donde irritan los tubos y las bolsas de aire, y pueden causar cáncer de

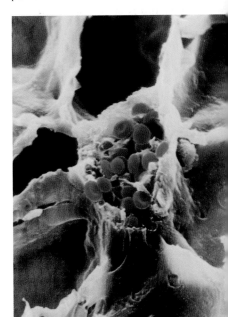

SECCIÓN DE ALVÉOLOS RODEADOS DE VASOS SANGUÍNEOS. LOS HEMATÍES DEL VASO RECOGEN Y DISTRIBUYEN EL OXÍGENO.

pulmón. Los gases del humo del tabaco reducen la cantidad de oxígeno que llevan los hematíes, así que los fumadores se quedan sin haliento con facilidad. La nicotina hace que los bronquiolos se estrechen y se reduce el aire que entra y sale de los pulmones.

¡Buenas razones para no fumar!

### E stetoscopio

Los médicos descubren si algo no va bien en la respiración escuchando con un estetoscopio. Fue el médico francés René Laennec (1781–1826) al que se le ocurrió la idea. En su época, los médicos ponían la oreja directamente en el pecho del paciente para oir su respiración. Esto podía ser embarazoso y desagradable si el

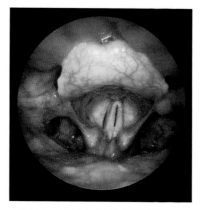

EL AIRE QUE PASA POR LAS CUERDAS VOCALES PRODUCE EL SONIDO DEL HABLA.

paciente no se había lavado. Laennec descubrió que escuchar el pecho a través de un tubo de madera no sólo evitaba esos problemas, sino que permitía oir mejor. El estetoscopio de madera fue corriente hasta 1852, cuando se inventó la versión moderna.

UN ESTETOSCOPIO MODERNO

### E mitir sonidos

Una parte del sistema respiratorio te permite hablar y cantar. Puedes notar la laringe en la parte delantera de tu cuello, porque sobresale un poco. Habla y notarás que vibra. Extendidas y cruzadas hay dos cuerdas vocales. Si se cierran, el aire que sube de los pulmones hace que vibren y produzcan sonidos. Tu lengua y tus labios convierten esos sonidos en

### CURIOSIDADES
EL RÉCORD MUNDIAL DE HIPO LO TIENE UNA SEÑORA INGLESA QUE ESTUVO CON HIPO SIN PARAR 2 AÑOS, 35 SEMANAS Y 3 DÍAS EN LOS OCHENTA. SÓLO EL PRIMER AÑO TUVO UN MILLÓN DE HIPOS.

palabras comprensibles.
Mantén la lengua inmóvil e
intenta hablar. Difícil, ¿verdad?

## A hogo e hipo

Hablar y comer al mismo
tiempo no es bueno y puedes
atragantarte. Una tapa llamada
epiglotis normalmente cierra la
laringe cuando tragas, para
impedir que la comida bloquee
tu tráquea. Pero a veces no va
bien, si comes deprisa y hablas
mucho. Incapaz de respirar,
empiezas a ahogarte. Si te
ocurre, toserás de forma
automática y se desbloqueará.
¡Una palmada en la espalda
puede ayudar!

Comer muy deprisa puede
causar hipo: una contracción
repentina del diafragma
introduce aire
en los
pulmones y golpea las cuerdas
vocales produciendo el sonido
característico. Normalmente el
hipo no dura mucho, sobre
todo si contienes la respiración.

## E stornudo explosivo

A todos se nos irrita la nariz
alguna vez. El polvo u otros
irritantes desencadenan una
acción refleja: el estornudo, que
limpia la nariz de inmediato.
El estornudo ocurre así: tomas
aire más profundamente que de
lo normal y se envía un chorro
de aire explosivo por tu nariz.
Gotitas de moco acuoso salen
propulsadas por los orificios
nasales a velocidades de hasta
160 km/h. ¡Mala suerte para el
que tengas delante! Se trata
sólo de una forma más de
mantener sano el sistema
respiratorio.

ESTA FOTO
ESPECIAL MUESTRA
CÓMO UN
ESTORNUDO
DESPLAZA EL AIRE.

# EQUILIBRIOS

L as células de tu cuerpo trabajan mejor cuando están rodeadas de un perfecto equilibrio. Ni demasiado caliente ni demasiado frío, el agua justa y la correcta cantidad de alimento y oxígeno. Mantener este equilibrio es el trabajo del sistema urinario, de los reguladores de temperatura corporal y de tus hormonas.

## F abricantes de orina

Fabricar la orina es la tarea encomendada a tus dos riñones. Día y noche filtran la sangre para quitarle cualquier exceso de agua que hayas bebido o comido y que tenga el espesor adecuado. También elimina desperdicios, especialmente uno llamado urea, que es producido por el hígado, un órgano grande que está en la parte superior del abdomen, cerca del estómago. El hígado tiene unas 500 funciones, la mayoría de ellas relacionadas con garantizar que la sangre contenga los ingredientes adecuados.

La orina que expulsas varias veces al día está compuesta de agua y residuos. Pero no expulsas todos los días la misma cantidad. Si hace mucho calor y sudas mucho, orinas menos. Si hace frío y bebes mucho, orinas más.

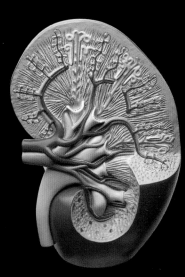

SECCIÓN DE UN RIÑÓN

## L leno hasta reventar

Hagamos un brindis por la vejiga. Sin ella estarías todo el día yendo al servicio. ¿Por qué? Porque tus riñones producen un hilito continuo de orina que fluye por unos tubos llamados uréteres. Por suerte, en lugar de

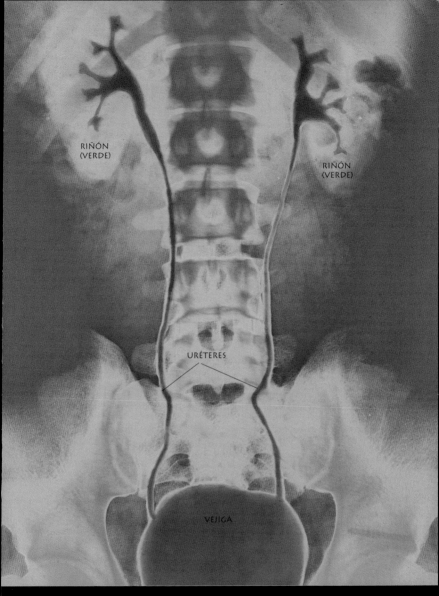

RIÑÓN
(VERDE)

RIÑÓN
(VERDE)

URÉTERES

VEJIGA

estar vaciándolo del cuerpo sin parar, los uréteres se vacían en la vejiga. En la base de esta bolsa de almacenamiento hay una abertura al experior, que normalmente está cerrada por un anillo de músculos llamado

esfínter. Conforme se va llenando de orina, las paredes del músculo se dilatan y envían al cerebro mensajes. Poco a poco te vas dando cuenta de que hay que vacíar la vejiga. Si lo aplazas, se hace cada vez más fuerte hasta que... no aguantas más, vas al servicio y relajas el músculo esfínter.

### Análisis de orina

Menos mal que no eres un médico en la Edad Media. Examinar la orina era uno de los métodos más importantes para descubrir qué iba mal en los pacientes. Esto implicaba no sólo fijarse en el color de una muestra de orina, olerla y comprobar si estaba turbia, sino también, ¡puaj!, probarla. Los médicos modernos también analizan la orina para sus diagnósticos, pero por suerte ya no tienen que probarla.

CUANDO SIENTES FRÍO SE TE PONE CARNE DE GALLINA. SE LEVANTAN LOS PELOS PARA RETENER EL CALOR DEL CUERPO.

entraba (comida y bebida), lo que salía (heces y orina) y a sí mismo. Sanctorio notaba que lo que entraba pesaba más que lo que salía y sugirió que la diferencia era debida a "vapores insensibles". Nosotros sabemos

# TU CUERPO ESTÁ COMPUESTO DE AGUA EN UN 60 POR CIENTO

### Lo que entra y lo que sale

Un hombre que sí tuvo en mente la orina y el equilibrio fue el profesor italiano de medicina Sanctorius Sanctorio (1561–1636). Durante nada menos que 30 años de su vida, Sanctorio dedicó todo el tiempo que pudo a estar sentado en una máquina especial llamada "La balanza". Él pesaba diariamente lo que

que la causa es la pérdida de agua por el sudor.

### Control de temperatura

Sudar es parte del sistema de control de temperatura del cuerpo. En las células del cuerpo tienen lugar reacciones químicas que liberan calor. La capa de grasa que hay debajo de tu piel y la ropa ayudan también a mantener el calor.

Cuando hace mucho frío, te salen bultitos por toda la piel: se te pone carne de gallina. Y te da un escalofrío. Tus músculos, contrayéndose en un estremecimiento, liberan calor extra de tu cuerpo y te mantienen caliente.

Pero, si hace mucho calor, los vasos sanguíneos de tu piel se ensanchan para hacerle soltar calor más rápidamente, como un radiador. Las glándulas sudoríparas liberan líquido, sudor salado, a la superficie de la piel. El sudor se evapora absorbiendo el calor de la piel y el cuerpo se enfría. Todo esto ayuda a mantener tu cuerpo a una temperatura constante de 37ºC.

### P érdida de agua

Sudar no es la única forma de perder agua del cuerpo. Cada vez que vas al servicio eliminas agua en la orina o en las heces. Cuando respiras, salen de tu boca y tu nariz minúsculas gotitas de vapor de agua.

Más de la mitad de tu cuerpo es agua y necesitas mantenerla en un nivel constante. No te puedes

permitir el lujo de perder agua sin reemplazarla. Por suerte, hay una parte de tu cerebro, llamada el control de sed, que se da cuenta de cuándo tu sangre está demasiado concentrada y te dice que necesitas beber. Beber líquidos reemplaza la mayoría de los casi dos litros de agua que pierdes al día. Pero también obtienes agua de la comida, y no sólo de alimentos como los melones y las sandías.

### H ormonas

Las hormonas también juegan un papel en el equilibrio. Estos elementos químicos te hacen

ECHA EL ALIENTO A UN ESPEJO Y VERÁS EL VAPOR DE AGUA QUE RESPIRAS.

ser un chico o una chica, crecer, protegerte de peligros, tener hijos (sólo las mujeres) y mantener el equilibrio en muchas otras funciones. Denominadas mensajeros químicos, muchas hormonas son llevadas por la sangre a su destino, donde producen su efecto.

Sobre todo hechas de glándulas (nombre genérico de los productores de elementos químicos) son llamadas glándulas endocrinas. El cuartel general de las hormonas se encuentra en la glándula pituitaria, del tamaño de un guisante, que cuelga de la parte baja del cerebro. Genera muchas hormonas que tienen un efecto inmediato o dice a otras glándulas qué hacer.

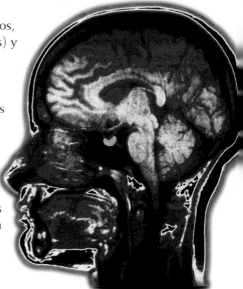

TU GLÁNDULA PITUITARIA (VERDE) ES EL CUARTEL GENERAL DE LAS HORMONAS.

### Niveles de azúcar

Las hormonas tienen misiones muy importantes. Una de ellas está relacionada con la glucosa, sin la que nadie puede pasar. La glucosa es el carburante que sacamos del alimento y nos da energía para vivir. Por eso es importante mantener un nivel constante de glucosa circulando por la sangre. No importa si te mueres de hambre o acabas de comer, todas las células necesitan suministro continuo.

Asegurarse de que el nivel de glucosa es el adecuado es la misión de la insulina y el glucagón, dos hormonas generadas por el páncreas, que está ubicado bajo el estómago. El glucagón incrementa los niveles de glucosa en sangre, mientras que la insulina los

### CURIOSIDADES

LOS HUMANOS SON LOS ÚNICOS ANIMALES QUE LLEVAN ROPA. NOS SIRVE PARA MANTENER ESTABLE LA TEMPERATURA DEL CUERPO Y NOS PERMITE HABITAR EN CUALQUIER PARTE, INCLUSO EN EL HELADO ÁRTICO.

baja. Entre los dos mantienen
el nivel adecuado.

## Luchar o luchar

El corazón se te
acelera, respiras
agitadamente, sientes un
nudo en el estómago,
te sudan las manos y
tiemblan las piernas.
¿Reconoces la
sensación? La gente la
experimenta cuando
algo les alarma o
les asusta y está
producida por la
hormona adrenalina,
que prepara al
cuerpo para la
tensión o

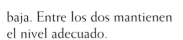

LOS DEPORTES
DE RIESGO
COMO LA
ESCALADA
PUEDEN
CAUSAR UN
TORRENTE DE
ADRENALINA.

el peligro. Si el
cerebro piensa que el
cuerpo está amenazado
(porque has visto a un
toro que te enviste o
estás escalando una
escarpada roca), envía

un mensaje a las
glándulas de la
adrenalina, que están
encima de tus riñones, y
les dice que liberen
adrenalina al torrente
sanguíneo. A diferencia de
otras hormonas, la
adrenalina tiene efectos
inmediatos. Acelerando el
corazón y la respiración, da
más alimento y oxígeno a tus
músculos. De esta forma
aumenta la energía, por si hay
que salir corriendo o luchar
contra aquello que te amenaza.

# A FLOR DE PIEL

**S**in piel tendrías un aspecto rojizo y sanguinolento. No está mal que no podamos quitarnos este abrigo vivo para mostrar los relucientes músculos de debajo. La piel, con el pelo y las uñas, marca la frontera entre el interior y el mundo exterior, pero también mantiene fuera los gérmenes y el agua, filtra los rayos del sol y te permite sentir texturas y superficies.

## Vida en la superficie

Mira de cerca la superficie de la piel (un microscopio ayuda) y lo primero que notarás es que es rugosa, no plana, y que tiene muchas ranuras y recovecos, mezclados con un montón de bacterias. Muchas son

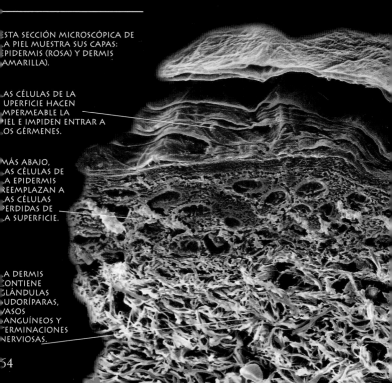

ESTA SECCIÓN MICROSCÓPICA DE LA PIEL MUESTRA SUS CAPAS: EPIDERMIS (ROSA) Y DERMIS (AMARILLA).

LAS CÉLULAS DE LA SUPERFICIE HACEN IMPERMEABLE LA PIEL E IMPIDEN ENTRAR A LOS GÉRMENES.

MÁS ABAJO, LAS CÉLULAS DE LA EPIDERMIS REEMPLAZAN A LAS CÉLULAS PERDIDAS DE LA SUPERFICIE.

LA DERMIS CONTIENE GLÁNDULAS SUDORÍPARAS, VASOS SANGUÍNEOS Y TERMINACIONES NERVIOSAS.

molestias, pero sirven para
evitar que crezcan en tu piel
bacterias dañinas y hongos. Sin
embargo, no serían inofensivas
si penetraran en el cuerpo a
través de cortes o raspaduras.
Por eso los médicos frotan con
un antiséptico matabichos la
piel antes de poner una
inyección o de operar, porque
evita la entrada de bacterias.

## Doble capa

Excava y descubrirás que tu piel
sólo tiene unos 2 mm de
grosor, el grosor de 12 hojas de
este libro. En lugares de mayor
desgaste (como las plantas de
los pies) tiene doble grosor.

Esta fina piel tiene dos capas.
Encima está la epidermis que
impermeabiliza la piel e impide
que entren los gérmenes. Si
mueren las células planas son
sustituidas por otras de abajo y
te caen como escamas cuando
te frotas.

La piel, como el pelo y las
uñas, contiene una proteína
llamada queratina. Las células
muertas de la capa superficial
están mezcladas con la
queratina. Esto la hace
resistente, flexible, impermeable
y capaz de desempeñar su
importante papel hasta que
salen de la superficie como
pellejos o escamitas de piel.

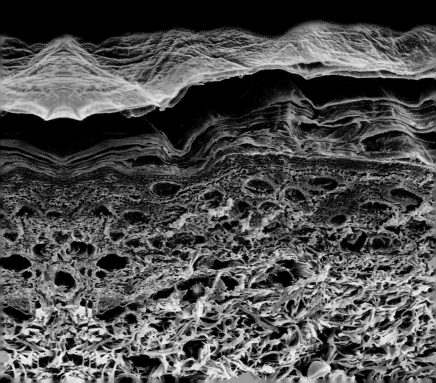

Tanto los pelos como las uñas derivan de la piel, de forma que no es extraño que estén hechos sobre todo de queratina. Apriétate la uña, pasa los dedos por tu pelo y toca tu piel, ahí está el trabajo de la queratina.

Bajo la epidermis está la dermis, más gruesa. Contiene vasos sanguíneos, glándulas sudoríparas, las raíces del pelo y las terminaciones nerviosas que te permiten sentir dolor, tacto, frío y calor.

## R elleno extra

Justo debajo de la dermis hay una capa de tejido adiposo o grasa, como solemos llamarla. La grasa funciona como un relleno extra para proteger el interior de los golpes y funciona como un edredón vivo para que te mantengas caliente. También sirve de almacén de energía ahorrada por si te quedaras sin comida. Algunas personas comen más de lo que necesitan y su capa de grasa bajo la piel se hace más gruesa y hace que su piel se extienda y se abulte hacia afuera.

## E l gran picor

Hay un pequeño animal que conoce bien el camino por las capas de la piel. Es el arador de la sarna, un pariente microscópico de las arañas. Se le llama así por una buena razón: provoca una enfermedad llamada sarna, que produce un picor tan grande que hace al

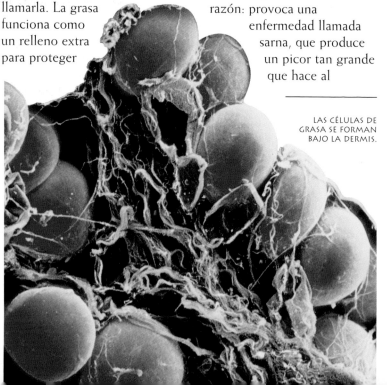

LAS CÉLULAS DE GRASA SE FORMAN BAJO LA DERMIS.

paciente rascarse hasta sangrar. El ácaro masculino es bastante inofensivo, pero el femenino usa partes cortantes de su boca para excavar una madriguera desde la epidermis hasta la dermis, donde deja sus huevos, causando el desagradable picor. La sarna se cura con lociones que matan al ácaro.

## El color de la piel

Del rosa más pálido al marrón más oscuro, el color de la piel es muy variable. El color de tu piel depende de la cantidad de un pigmento (colorante) llamado melanina. Este pigmento marrón-negruzco es fabricado por las células de la epidermis. La gente de piel oscura produce gran cantidad de melanina y los de piel pálida, poca. Algunas personas tienen pequeñas manchas con más melanina en la piel, que llamamos pecas. También da tono rosado a tu piel la sangre que fluye por ella, aunque se nota menos si tienes la piel oscura.

LAS CREMAS SOLARES PROTEGERÁN ESTOS CUERPOS DE QUEMARSE POR LOS RAYOS ULTRAVIOLETA DEL SOL Y LA PIEL SE IRÁ OSCURECIENDO GRADUALMENTE.

más oscura. Su piel produce naturalmente más melanina que en la gente de piel clara, para protegerla del calor del sol. Si permaneces mucho al sol, tu piel genera automáticamente más melanina protectora y te da un tono bronceado. Con todo, si te expones demasiado al sol y no te has cubierto con

## Protección solar

La melanina es importante porque elimina los dañinos rayos ultravioleta de la luz solar. Por eso, la gente que vive en lugares muy cálidos (o sus ancestros procedían de allí), como Etiopía, tienen la piel

### CURIOSIDADES

UNA HEMORRAGIA DE PEQUEÑOS CAPILARES SANGUÍNEOS BAJO LA PIEL PRODUCE ESA CONOCIDA MARCA AZUL NEGRUZCO LLAMADA MORETÓN. CON EL TIEMPO, ESE CARDENAL SE VUELVE AMARILLLO Y LUEGO DESAPARECE.

crema protectora, los rayos ultravioleta pueden quemarte la piel, causándote dolor y enrojecimiento de la piel.

## Al grano

Las glándulas sebáceas se ocupan de que tengas la piel y el pelo suave y flexible. Estas glándulas segregan un líquido aceitoso llamado sebo que lubrica la piel y ayuda a impermeabilizarla. Esto está bien. Pero, por desgracia, a veces el tubo que viene de la glándula se bloquea con sebo, y sale una motita en la piel. Si el tapón de sebo se oscurece cerca de la superficie, tienes una espinilla. El bloqueo puede hacer que las bacterias se animen a trabajar, enrojecen la zona y la infectan, en cuyo caso te sale acné. Los adolescentes tienden a tener granos porque sus hormonas estimulan a las glándulas sebáceas a trabajar duro.

## CURIOSIDADES

LAS VITAMINAS SE SUELEN EXTRAER DE LA COMIDA, PERO LA VITAMINA D TAMBIÉN PUEDE FABRICARLA LA PIEL CUANDO SE EXPONE A LA LUZ SOLAR. LA VITAMINA D AYUDA AL CUERPO A USAR EL CALCIO PARA FORTALECER HUESOS Y DIENTES.

## Olor a sobaco

Cuando llegas a la pubertad, si tenías pocas preocupaciones, encima empiezas a sudar por las axilas. Enrolladas en las dermis, se encuentran las gládulas sudoríparas que liberan sudor fresco a la superficie de la piel cuando tienes calor. Las que están en las axilas liberan un sudor especial. El sudor de la axila no huele hasta que las bacterias se lo comen y liberan sustancias que apestan. Esto hace que las personas que no se lavan con frecuencia o no usan desodorantes tengan un olor corporal tan fuerte.

## Huellas dactilares

Te sudan hasta las puntas de los dedos. Toca un cristal o un metal y verás la huella que deja el sudor de tus dedos. Las curvas y bucles de las huellas dactilares son producidas por las protuberancias de la piel que te permiten coger las cosas con la punta de los dedos. No hay dos personas con el mismo dibujo de surcos, ni siquiera dos gemelos idénticos. A finales del siglo XIX, alguien se dio cuenta de que las marcas de sudor en los dedos dejadas en la escena del crimen podían servir para identificar al criminal. Desde entonces las huellas dactilares se usan con éxito en criminología.

Algunos criminales han intentado quitárselas para no ser identificados. El gangster americano John Dillinger pidió a dos médicos que le quitaran las huellas dactilares con cirugía plástica en 1934. Fue un fracaso. Luego metió los dedos en ácido hasta que desparecieron las huellas. ¡Ay! Pero tampoco funcionó. Al final de ese año fue cogido por el FBI, porque sus huellas habían reaparecido y se le pudo identificar de nuevo.

### P elo rizado y liso

También te diferencia el pelo. Puedes cambiar su color, cortarlo, trenzarlo, moldearlo o afeitártelo. Los pelos crecen desde unos huecos de la piel llamados folículos, que puntean todo tu cuerpo excepto las plantas de los pies, las palmas de las manos, los labios y dos o tres sitios más. Si lo tienes rizado o liso natural depende de la forma de los folículos: si son redondos, el pelo es liso; si son ovales, ondulado; si son planos, tu pelo es rizado.

### C orte de pelo indoloro

Los pelos crecen desde los folículos como tubos de células muertas hechos sobre todo de queratina.

DETALLE DE LOS PELOS DE LA CARA DE UN HOMBE AFEITADO.

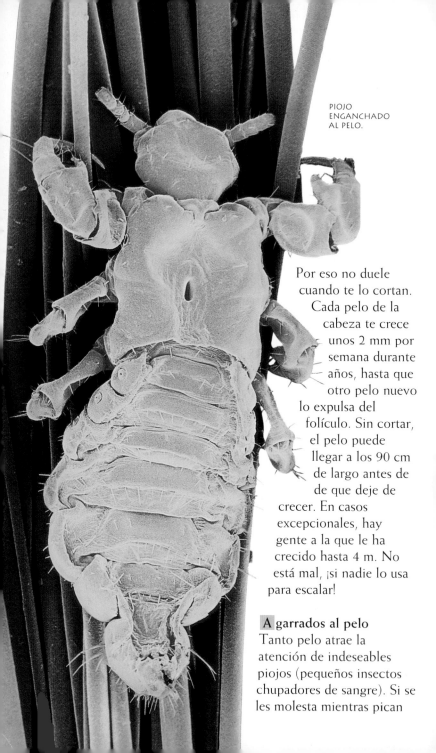

Por eso no duele cuando te lo cortan. Cada pelo de la cabeza te crece unos 2 mm por semana durante años, hasta que otro pelo nuevo lo expulsa del folículo. Sin cortar, el pelo puede llegar a los 90 cm de largo antes de de que deje de crecer. En casos excepcionales, hay gente a la que le ha crecido hasta 4 m. No está mal, ¡si nadie lo usa para escalar!

### A garrados al pelo

Tanto pelo atrae la atención de indeseables piojos (pequeños insectos chupadores de sangre). Si se les molesta mientras pican en el cuero cabelludo, los piojos se mueven a toda velocidad y se enganchan al pelo más próximo con sus "garras" y no hay quien los saque. Es más, el piojo hembra pega sus huevos (liendres) al pelo, de forma que no se van cuando te lo lavas. Los piojos son muy comunes entre los escolares y se difunden como la pólvora de cabeza en cabeza. Hay champús que los matan y peines finos quitaliendres que quitan los huevos.

### Calvicie
Algunos no pueden tener piojos porque están calvos. A algunos

queratina y son muy útiles para rascarse o cuando intentas coger algo muy pequeño. Crecen unos 5 mm al mes, un poco más deprisa en verano que en invierno.

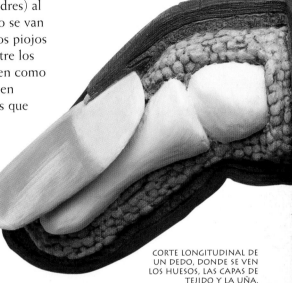

CORTE LONGITUDINAL DE UN DEDO, DONDE SE VEN LOS HUESOS, LAS CAPAS DE TEJIDO Y LA UÑA.

## CADA DÍA SE REEMPLAZAN 80 PELOS DE LOS 100.000 DE TU CABEZA

hombres, el pelo de la cabeza les crece tan poco tiempo que no le da tiempo a salir un nuevo pelo a la superficie antes de que se expulse el anterior.

### Uñas en acción
No todos tienen la cabeza con pelo, pero todos tienen uñas. También las uñas son de

La mayoría de la gente se las corta conforme le van creciendo, pero a un hombre que no se las cortaba le llegaron a crecer más de un metro. La uña del pulgar fue la que más le creció, llegando a medir 1,4 metros de largo. Desde luego no podía trabajar como pintor ni como dentista.

# REPARACIONES

E l cuerpo humano ha sido llamado 'máquina viva' y, como las máquinas, se puede estropear de vez en cuando. Si algo . va mal, el cuerpo se autorrepara, a veces con la ayuda de los médicos. Algunas enfermedades se deben a un mal funcionamiento, otras las causan invasores externos.

**I nvasores enemigos**
Siempre hay gérmenes y bichos intentando entrar en tu cuerpo. Los que lo consiguen pueden hacerte enfermar. Virus y tipos principales de células en tu sangre: las rojas llevan oxígeno, las blancas tienen otra tarea. Al primer indicio de invasión de patógenos, estas

## BACTERIAS INOFENSIVAS VIVEN EN TUS INTESTINOS Y EN TU PIEL

bacterias son algunos de estos patógenos (invasores microscópicos causantes de enfermedad). Para su desgracia, tu cuerpo tiene un sistema de defensa muy poderoso, sin el cual no durarías mucho. Todo patógeno que se las arregla para entrar se enfrenta a un ejército mortal de leales defensores.

**C omer y destruir**
Uno de estos defensores es tu sangre. Hay dos células, llamadas fagocitos, se apresuran al lugar de la infección, encuentran los patógenos y se los zampan. Por

PATÓGENO

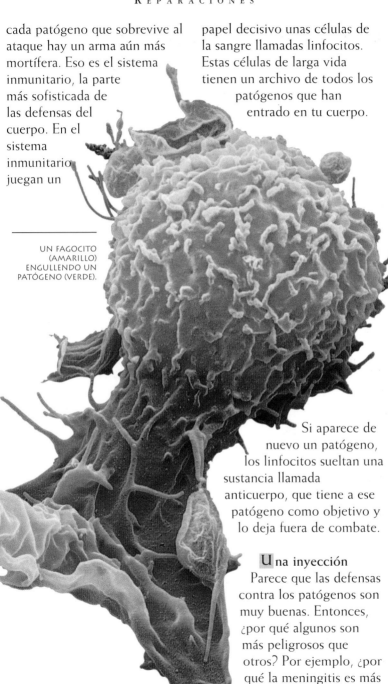

cada patógeno que sobrevive al ataque hay un arma aún más mortífera. Eso es el sistema inmunitario, la parte más sofisticada de las defensas del cuerpo. En el sistema inmunitario juegan un papel decisivo unas células de la sangre llamadas linfocitos. Estas células de larga vida tienen un archivo de todos los patógenos que han entrado en tu cuerpo.

UN FAGOCITO (AMARILLO) ENGULLENDO UN PATÓGENO (VERDE).

Si aparece de nuevo un patógeno, los linfocitos sueltan una sustancia llamada anticuerpo, que tiene a ese patógeno como objetivo y lo deja fuera de combate.

**U**na inyección

Parece que las defensas contra los patógenos son muy buenas. Entonces, ¿por qué algunos son más peligrosos que otros? Por ejemplo, ¿por qué la meningitis es más

73

peligrosa que un resfriado?
Resulta que algunos se
multiplican muy deprisa y
causan graves enfermedades
antes de que el sistema
inmunitario tenga tiempo de
reaccionar. Por suerte, la
medicina moderna ha
encontrado la solución.

Los médicos pueden impedir
que la gente contraiga una
enfermedad inyectándoles una
vacuna, que contiene una
versión débil o muerta del
patógeno. Esto hace que el
sistema inmunitario produzca
anticuerpos sin que se ponga
enfermo. Si el patógeno real
entra, habrá un ejército de
anticuerpos esperándole.

## Descubrimiento de los antibióticos

Los antibiótios son otra arma
en la guerra con los gérmenes.
Los descubrió por casualidad en
1928 Alexander Fleming en
Londres. Mientras estudiaba
una bacteria, uno de sus
experimentos se contaminó con
el moho azul grisáceo de la
fruta podrida. La sorpresa fue
que el moho había matado a la
bacteria.

Aisló la sustancia química del
moho y la llamó penicilina. Fue
el primer medicamento contra
las bacterias o antibiótico, que
tantas vidas ha salvado.

## Coágulos de sangre

Una cosa es la invasión de
patógenos y otra es que no
funcionen partes del cuerpo,

HEMATÍES ATRAPADOS EN UNA RED
FIBROSA FORMANDO UN COÁGULO.

74

como un agujero en un vaso sanguíneo. Déjalo sin reparar y la sangre se escapa. No está mal que el cuerpo tenga su propio sistema de reparación de tuberías. Allí donde un vaso sanguíneo se rasga o rompe, pequeñas plaquetas llevadas allí por la sangre se van pegando a otras para cerrar la fuga.

Las plaquetas pegadas liberan una sustancia química que disuelve una proteína de la sangre llamada fribrinógeno en las fibras de fibrina. Igual que una red de pescar, estas fibras atrapan las células de hematíes y otros tipos de células para formar un coágulo que refuerce el tapón de las plaquetas. Mientras el tapón y el coágulo frenan la fuga, la pared del vaso sanguíneo se reconstruye por sí mismo.

## Arreglar la fractura

Otro sistema de reparación que viene de serie arregla los huesos que se fracturan. Los huesos son muy fuertes, pero a veces una presión excesiva desde un ángulo infrecuente (una caída de la bici) puede romperlos. Si eso ocurre,

RADIOGRAFÍA DE UN BRAZO ROTO.

enseguida empieza la cura: se forma un coágulo para parar la hemorragia y crece nuevo hueso para unir los extremos separados. Con el tiempo, queda como nuevo, pero el arreglo puede requerir la ayuda médica, para que los huesos se suelden rectos y no torcidos. Para ello se puede escayolar o incluso introducir un clavo.

## Cirugía

A veces, el cuerpo tiene que arreglarlo un cirujano. Son médicos que operan, abriendo el cuerpo para hacer reparaciones en el interior. El paciente no siente dolor porque se le dan anestésicos que los tienen inconscientes un rato. Pero esto no ha sido siempre así. Hasta que en 1846 el americano William Morton usara por primera vez el éter (un gas anestésico), operaciones como las amputaciones tenían que llevarse a cabo con la

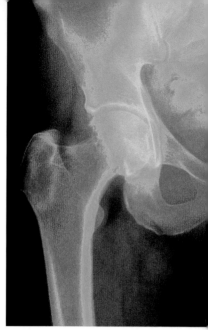

máxima rapidez. Se ataba a los pacientes a la mesa o eran sujetados por varios forzudos.

## Mantener la limpieza

El cirujano Joseph Lister (1827–1912) también mejoró las posibilidades de éxito de la cirujía, porque se dio cuenta de la importancia de mantener todo limpio y esparcir sustancias matabichos (los antisépticos) dentro y alrededor de las heridas para acabar con los gérmenes. Más tarde, se introdujo la asepsia: la esterilización del instrumental quirúrgico para matar a los patógenos, la desinfección del quirófano, el uso de guantes y máscaras. Bueno, como en la cirujía actual.

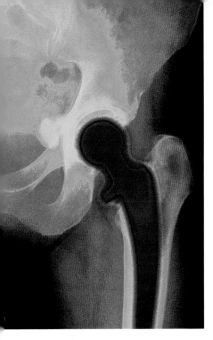

RADIOGRAFÍA QUE MUESTRA UN TROZO METÁLICO (ROSA) USADO EN UNA REPARACIÓN DE CADERA.

CONÉCTATE

www.msc.es/ont/esp/home.htm

y sustituir articulaciones dañadas por otras artificiales o poner válvulas del corazón de plástico o metal. Cada vez se pueden cambiar más partes del cuerpo cuando se hace necesario.

**M**antener la salud y la forma
Al final, la mejor manera de cuidar el cuerpo es procurar que necesite el menor número posible de reparaciones. Un cuerpo en forma (que funciona) estará más sano y durará más. Por desgracia, comparado con nuestros ancestros, que siempre estaban cazando antílopes o huyendo a la carrera de los leones, nuestro estilo de vida moderno tiende a tenernos sentados, jugando con ordenadores, viendo la televisión y tomando comida basura. Así que, para mantener tu cuerpo en forma, hay que hacer ejercicio diariamente y llevar una dieta variada que incluya mucha fruta, vegetales y no demasiada grasa.

**R**eponer partes del cuerpo
Hace siglos, los piratas y marinos que habían perdido brazos o piernas en batallas navales podían sustituirlas con una "pata de palo". Ahora las cosas están mejor: se sustituyen brazos y piernas por otros más ligeros con aspecto muy real. Los cirujanos pueden operar un cuerpo

HACER DEPORTE AYUDA A MANTENER EL CUERPO EN FORMA Y SANO.

77

# HISTORIA DE LA VIDA

Todos vivimos la misma historia.
¿Has oído de alguien que haya
rejuvenecido o alguien nacido con 15 años?
A lo mejor te gustaría saltarte partes de tu
vida, pero no puedes. Todos hemos nacido bebés,
crecido lentamente en la infancia, cambiado rápido en la
adolescencia para convertirnos en adultos. A lo mejor tú
mismo tendrás hijos que, con suerte, lleguen a viejos.

## Frankenstein

Cambiar la historia de la vida
sería imposible, a menos que
tuvieras la imaginación de la
escritora inglesa Mary Shelley.
Ella escribió en 1818 un libro
sobre un científico, Victor
Frankenstein, que recogía
trozos de cuerpos y los cosía
para hacer un nuevo "hombre".
Luego daba vida a su criatura
usando el poder del rayo. El
monstruo de Frankenstein tuvo
una vida bastante miserable y al
final destruyó al hombre que lo
había creado.

## La carrera por el huevo

En la vida real, los adultos que
quieren crear un ser humano lo
hacen de forma natural: tienen
un niño, en lugar de zurzir
partes de otros cuerpos. Para
eso hacen falta dos
ingredientes: esperma del

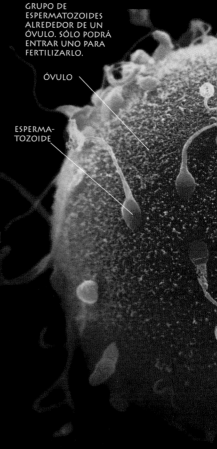

GRUPO DE
ESPERMATOZOIDES
ALREDEDOR DE UN
ÓVULO. SÓLO PODRÁ
ENTRAR UNO PARA
FERTILIZARLO.

ÓVULO

ESPERMA-
TOZOIDE

padre y un huevo (óvulo) de la madre. Mientras que la mujer produce un único óvulo cada mes de sus ovarios, el hombre fabrica millones de espermatozoides en sus testículos, que deja dentro de su pareja en la ocasión íntima de hacer el amor. La mayoría de los espermatozoides caen por el camino mientras nadan como locos en busca del óvulo (si es que hay uno) en la

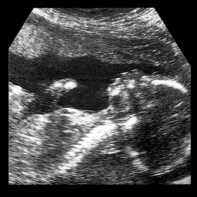

ESCÁNER DE ULTRASONIDO MUESTRA AL BEBÉ CRECIENDO EN EL ÚTERO DE LA MADRE.

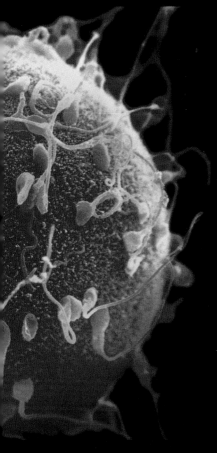

trompa de falopio que discurre entre el ovario y el útero. De los pocos que consiguen llegar al óvulo, uno consigue entrar y fertilizarlo. Unos días después, el óvulo fertilizado se ha dividido para formar una bola de células que desciende al blándo y cálido útero, donde se empieza a desarrollar el niño.

**C**reciendo dentro

Aunque es difícil que lo recordemos, nos ha pasado a todos. ¿Qué? ¡Nacer! Viajar desde el cálido, tranquilo y oscuro útero de nuestra madre y abrirse paso al luminoso mundo exterior, con toda esa gente haciendo ruidos raros. Esto ocurre unas 40 semanas después de la fertilización. En tan poco tiempo pasamos de ser una bola de células microscópica alojada en el útero a un niño de 3 kg

79

con todos los órganos desarrollados. Esto incluye pulmones para gritar bien alto y sistema urinario y digestivo completos para rellenar pañales.

## Todo está en los genes

Cuando llega un niño, es muy frecuente que la genge diga cuánto se parece a su padre o a su madre. ¿Dicen la verdad o no? Probablemente, sí. Cada ser humano hereda dos conjuntos de instrucciones para la construcción del cuerpo, llamadas genes: uno del óvulo y otro del espermatozoide. Los genes interactúan para hacer de nosotros lo que somos, con rasgos paternales y maternales, que nos hacen únicos como individuos. Todos estos genes (hay unos 30.000 en cada conjunto) están encadenados en 46 "hilos" llamados cromosomas, que se encuentran en cada célula. Cromosomas y genes están hechos de una larga molécula llamada ADN o ácido desoxirribonucleico. Las moléculas de ADN contienen las instrucciones codificadas para construir y manejar cada una de las células de tu cuerpo y crear un ser humano completo.

## Doble problema

Los humanos suelen tener un solo hijo cada vez, pero no siempre. A veces la mujer da a luz dos (gemelos), a veces tres (trillizos) o incluso, raras veces cuatro (cuatrillizos). Pero, ¿por qué hay gemelos? Por lo general cada mes un ovario de la mujer produce un solo óvulo. Pero, si por casualidad se producen dos y ambos son fertilizados por distintos espermatozoides salen gemelos. Estos gemelos no son idénticos, porque proceden de óvulos y espermatozoides diferentes y no comparten los mismos

MODELO SENCILLO DE UN TRAMO DE ADN.

genes. Pueden ser los dos chicos, los dos chicas, o uno de cada. Los gemelos idénticos comparten los mismos genes. Esto ocurre cuando un óvulo fertilizado se escinde en dos células y de cada una sale un niño. Son del mismo sexo y tan parecidos que confunden a todos.

LOS GEMELOS IDÉNTICOS SURGEN DE UN ÓVULO FERTILIZADO DIVIDIDO EN DOS, DEL QUE SALEN DOS NIÑOS.

**A** prendizaje
Toda la vida estamos aprendiendo cosas, pero en la infancia es cuando más se aprende. Piensa en lo que has aprendido y lo que aprendes: gatear, andar, correr, lanzar un pelota, hablar, escribir, controlar cuándo necesitas ir al servicio. Un lista interminable. Tu cerebro absorbe información como una esponja, para que puedas mejorar constantemente tu capacidad verbal o manejar un ordenador. Otras

## CURIOSIDADES

EN 2000, EL PROYECTO 'GENOMA HUMANO' IDENTIFICÓ LA ESTRUCTURA DE LOS GENES QUE HAY EN LOS CROMOSOMAS. ESTO QUIERE DECIR QUE SE HA DADO EL PRIMER PASO PARA PODER CREAR SERES HUMANOS.

cosas, como caminar o ir en bicicleta, las aprendes intentándolas y usas la experiencia para ir mejorando.

### Molestias del crecimiento

Cuando las niñas tienen entre 9 y 13 años, y un poco más tarde para los niños, se producen

de crecimiento que hace adultos a los niños, cambiando también la forma de pensar y de sentir.

### Viejo y arrugado

Si no envejecieras, no tendrías cumpleaños y la vida no sería tan divertida. Mientras crecer

## UNO DE CADA 80 NACIMIENTOS PRODUCE GEMELOS

grandes cambios: ha llegado la pubertad. Es el momento en que el desarrollo se acelera de repente. No había un desarrollo tan rápido desde que éramos bebés. El cuerpo cambia sus formas y se empiezan a semejar a los adultos, se "encienden" sus sistemas reproductores y pueden (cuando estén preparados) tener hijos.

De estos cambios se encargan las hormonas sexuales. Antes de nacer, estas hormonas se organizaron para que fueras chico o chica. Ahora, en la pubertad, provocan estos cambios. .

La pubertad es parte de la adolescencia, el proceso

de niño a adulto es obvio, realmente no te das cuenta del envejecimiento hasta que llegas a los cuarenta o los cincuenta. En torno a esa época las células

UNA VÉRTEBRA QUE HA EMPEZADO A DESHACERSE.

ESCÁNER DE UNA COLUMNA VERTEBRAL QUE MUESTRA CÓMO UNA VÉRTEBRA EMPIEZA A MOSTRAR EL ENVEJECIMIENTO.

del cuerpo empiezan a ser menos eficientes. Fuera, la piel es menos elástica y más arrugada, el pelo es más fino y se vuelve gris o blanco. Por dentro, los ojos no enfocan tan bien, los músculos pierden parte de su fuerza y los huesos se hacen más frágiles.
Al final, un sistema u otro deja de funcionar y la persona muere.

Sin embargo, hay que reconocer que gracias a una buena salud pública y los progresos de la medicina, vivimos mucho más que nuestros antepasados. Comer bien y hacer ejercicio también ayuda. Mucha gente vive hasta los 90 o 100 años y, en algún caso, incluso hasta los 120.

### Al congelador

Puede que la muerte sea inevitable, pero alguna gente aún intenta evitarla. En los últimos años se puede pagar para que congelen tu cuerpo en el momento de tu muerte. Hablamos de 196° bajo cero, nada menos. Se hace con la esperanza de ser descongelado en el futuro, cuando los médicos sepan cómo curar la enfermedad que acabó con uno. Suena bien, pero hay un par de

problemas. Primero, no hay garantía de que el cuerpo pueda despertar del "sueño congelado". Y más importante: ¿estamos seguros de que los descendientes se tomarán la molestia de descongelar a sus antepasados?

CONÉCTATE
especiales/2000/genoma/
www.elpais.es/

UN CUERPO SOMETIDO A CONGELACIÓN.

## Bien conservados

La otra forma de continuar después de muerto es que te momifiquen. Los egipcios fueron los expertos en momias de la Antigüedad. Ellos creían que cuando mueres tu alma deja el cuerpo, pero luego se volverán a encontrar. Sin un cuerpo al que regresar, no se podía estar en el más allá. Así que los egipcios usaron sus conocimientos para preservar los cuerpos aunque se quedaran un poco secos.

También hay casos recientes de gente que momifica a sus seres queridos. En Sicilia (Italia) hay unas 6.000 momias que datan de 1599 a 1920 en un cementerio subterráneo. Los sicilianos ricos momificaban a sus parientes como un recuerdo de cómo eran cuando vivían y respiraban.

Pero la vida acaba, el camino de la fertilización a la vejez está lleno de crecimiento y cambios. Empezamos como una bolita de células, nos hacemos niños, adolescentes, adultos y luego viejos. Esta es la historia vital de nuestro cuerpo.

LA FAMILIA PUEDE VISITAR A SUS PARIENTES MUERTOS EN ESTAS TUMBAS SUBTERRÁNEAS SICILIANAS.

# SECCIÓN DE CONSULTA

Tanto si ya has leído *El cuerpo*, como si has venido a esta sección primero, en estas ocho páginas encontrarás información muy útil. Aquí hay datos y hechos históricos, más información, estadísticas sobre el cuerpo y palabras raras que puedes necesitar. También encontrarás una lista detallada de páginas web y, tanto si quieres navegar por la red como buscar más datos, estas páginas te harán todo un experto.

# CRONOLOGÍA DEL CUERPO

**100000 A.C.** Aparecen en África los primeros humanos (Homo sapiens)

**70000 A.C.** Los humanos salen de África y habitan otros continentes.

**30000 A.C.** Pinturas en cuevas y esculturas muestran la forma del cuerpo humano.

**420 A.C.** El médico griego Hipócrates enseña la importancia de la observación y la diagnosis frente a la medicina mágica y mítica.

**170** El influyente médico griego Galeno describe (con frecuentes equivocaciones) el funcionamiento del cuerpo y sus ideas permanecen intalteradas hasta comienzos del siglo XVI.

**c.1000** El médico árabe Avicena publica sus textos médicos que influyen en la medicina occidental durante 500 años.

**c.1280** El médico árabe Ibn An-Nafis propone que la sangre fluye por los pulmones.

**1543** Primera descripción detallada de la anatomía humana publicada por el belga Andreas Vesalius.

**1628** El médico británico William Harvey describe cómo circula la sangre por el cuerpo, bombeada por el corazón.

**1663** El fisiólogo italiano Marcello Malpighi descubre los capilares sanguíneos.

**1672** El médico holandés Regnier de Graaf describe por vez primera la estructura y funcionamiento del sistema reproductor femenino.

**1674** El holandés Antoni van Leeuwenhoek observa y describe los hematíes, el esperma y las células de la musculatura ósea usando un microscopio primitivo.

**1691** El médico británico Clopton Havers describe la esctructura ósea.

**1796** La primera vacunación (contra la viruela) es llevada a cabo por el médico británico Edward Jenner.

**1811** El anatomista británico Charles Bell muestra cómo los nervios están compuestos de neuronas.

**1816** El médico francés René Laënnec inventa el estetoscopio.

**1846** El dentista norteamericano William Morton usa por primera vez el gas éter como anestésico en cirujía.

**1848** El cienfífico francés Claude Bernard demuestra la función del hígado y después muestra cómo las células del cuerpo necesitan un entorno estable para vivir.

**1851** El físico alemán Hermann von Helmholtz inventa el oftalmoscopio, un instrumento para mirar dentro del ojo.

**1860 y ss.** El científico francés Louis Pasteur explica que las enfermedades infecciosas son causadas por microorganismos.

**1865** Joseph Lister, médico británico, usa por primera vez antisépticos en cirugía.

**1882** El médico alemán Robert Koch identifica la bacteria que causa la tuberculosis.

**1895** Wilhelm Roentgen, físico alemán, descubre los rayos-X.

**1901** El médico estadounidense de origen austriaco, Karl Landsteiner, descubre los grupos sanguíneos A, B, AB, y O, y abre el camino a las transfusiones de sangre seguras.

**1903** Willem Einthoven, fisiólogo holandés inventa un rudimentario electrocardiógrafo, dispositivo para observar la actividad del corazón.

**1906-12** El bioquímico británico Frederick Gowland Hopkins muestra la importancia de las vitaminas.

**1910** El científico alemán Paul Ehrlich descubre la primera droga para tratar una enfermedad concreta.

**1921** Los canadienses Frederick Banting y Charles Best aislan la hormona insulina, permitiendo controlar la diabetes.

**1928** El médico británico Alexander Fleming descubre el primer antibiótico: la penicilina.

**1943** El médico holandés Willem Kolff inventa la diálisis para tratar enfermos de riñón.

**1953** Usando las investigaciones de la británica Rosalind Franklin, el biólogo de EE.UU. James Watson y el físico británico Francis Crick descubren la estructura del ADN.

**1953** El cirujano americano John Gibbon desarrolla una máquina para bombear sangre durante las operaciones coronarias.

**1954** Primer uso de la vacuna contra la polio por Jonas Salk (EE.UU.)

**1954** Primer trasplante de riñón llevado a cabo con éxito en Boston.

**1958** El profesor británico Ian Donald usa ultrasonidos para saber la salud del feto dentro del útero.

**1967** El cirujano sudafricano Christiaan Barnard realiza con éxito el primer transplante de corazón.

**1972** Se usa el escáner tomográfico para producir imágenes de órganos.

**1978** Los médicos británicos Patrick Steptoe y Robert Edwards llevan a término la primera fertilización *in vitro* y nace el primer "niño probeta", Louise Brown.

**1979** La vacunación erradica la viruela del mundo.

**1980 y ss.** Primer uso en cirugía del endoscopio, para ver dentro del cuerpo.

**1981** Se identifica por vez primera lo que luego se llamará SIDA (síndrome de inmunodeficiencia adquirida).

**1982** Primer corazón artificial inventado por el científico Robert Jarvik (EE.UU.) implantado a un paciente.

**1984** El científico francés Luc Montagnier descubre el virus VIH, causante del SIDA.

**1990** Se lanza el proyecto Genoma Humano para analizar los cromosomas humanos de ADN.

**2000** Completado el primer "borrador" del genoma humano.

# SISTEMAS DEL CUERPO

| SISTEMA | FUNCIÓN |
| --- | --- |
| **Circulatorio** | Bombea sangre por toda la red de vasos sanguíneos para transportar nutrientes y oxígeno a las células y retirar los desechos. |
| **Digestivo** | Desmenuza el alimento hasta convertirlo en nutrientes sencillos que usa el cuerpo. |
| **Endocrino** | Libera hormonas (mensajeros químicos) a la sangre para controlar varios procesos corporales. |
| **Inmunológico** | Defiende al cuerpo contra las bacterias y virus que provocan enfermedades. |
| **Tegumentario** | Consiste en la piel, pelo y uñas, que cubren y protegen el cuerpo. |
| **Linfático** | Drena de los tejidos un fluido (linfa) a través del que se filtran los patógenos. |
| **Muscular** | Mueve y ayuda a sostener el cuerpo. |
| **Nervioso** | Controla y coordina el cuerpo, y permite a una persona pensar y sentir. |
| **Respiratorio** | Lleva oxígeno del aire a la sangre y elimina el residuo de dióxido de carbono del cuerpo. |
| **Esquelético** | Aguanta el cuerpo, protege a los órganos internos y permite el movimiento. |
| **Reproductor** | Permite a los humanos producir niños. |
| **Urinario** | Elimina material de desecho y exceso de agua en la sangre para liberarlos como orina. |

# DATOS SORPRENDENTES

### Células

• Cada minuto mueren y son reemplazadas 3.000 millones de células.
• Las células del intestino delgado se desgastan a los 3-6 días.
• Los hematíes duran 120 días.
• Las células del hígado viven unos 18 meses.

### Esqueleto y musculatura

• Un adulto tiene 206 huesos, pero un recién nacido tiene más de 300.
• El hueso más grueso es el *gluteus maximus*, que está en las nalgas.

### Sistema nervioso, cerebro, sentidos

• Un impulso nervioso tarda una centésima de segundo en llegar del dedo del pie a la médula espinal.
• Aunque el cerebro pesa sólo el 2% de todo el cuerpo, recibe siempre el 20% de la sangre, ya esté el cuerpo en acción o en reposo.

### Sistema circulatorio

• Una célula de sangre tiene 250 millones de hematíes, 16 millones de plaquetas y 375.000 leucocitos.
• El corazón late unos 3.000 millones de veces durante la vida.
• Estirados todos los vasos sanguíneos de una persona darían una vuelta y media a la Tierra.
• La arteria más grande, la aorta, es 2.500 veces más ancha que el capilar más fino.

### Digestión

• El esmalte de los dientes no tiene células vivas. Si se daña no puede ser reemplazado, sólo rellenado.
• En la media de vida, una persona come 30 toneladas de comida.
• De media, la gente libera gases diarios para llenar un balón de fútbol.

### Respiración

• De media, una persona inspira y expira 25.000 veces al día.
• El pulmón izquierdo es menor que el derecho, porque se ajusta al espacio ocupado por el corazón.

### Sistema urinario

• A diario, los riñones filtran 180 litros de fluidos de la sangre, pero sólo producen 1,5 litros de orina.
• En toda su vida una persona expulsa 35.770 litros de orina.

### Piel

• Unos 50.000 minúsculos pelarzos caen de la piel cada minuto.
• Las uñas de las manos crecen cuatro veces más deprisa que las de los pies.
• Los picores los causa la irritación de los folículos del pelo al entrar en ellos partículas de polvo.

### Defensas

• Los ojos parpadean una media de 9.400 veces al día.
• Las lágrimas contienen un producto, lisozima, que mata las bacterias en la superficie del ojo.
• Diariamente se producen más de 10.000 millones de leucocitos para destruir patógenos invasores.

### Reproducción

• Los testículos producen más de 300 millones de espermatozoides al día.
• Una niña recién nacida tiene ya más de un millón de óvulos en los ovarios.

89

# RAMAS DE LA MEDICINA

**Anatomía** La estructura del cuerpo y cómo encajan sus partes

**Bioquímica** La química de las células del cuerpo y cómo reaccionan unas con otras

**Cardiología** El corazón, la sangre, los vasos y sus enfermedades

**Citología** Estudio de las células

**Dermatología** La piel y sus enfermedades

**Endocrinología** Las glándulas endocrinas, sus enfermedades y los efectos de las hormonas en el cuerpo

**Epidemiología** Cómo se producen y difunden enfermedades dentro o entre grupos de personas

**Fisiología** Cómo funcionan las células, tejidos, órganos y sistemas

**Gastroenterología** El sistema digestivo y sus enfermedades

**Genética** Genes, cromosomas y herencia genética

**Ginecología** El sistema reproductor femenino y sus enfermedades

**Hematología** Estudio de la sangre y sus efermedades, incluida la médula espinal

**Histología** Estudio de los tejidos

**Inmunología** Sistema inmunitario y su mal funcionamiento

**Neurología** El sistema nervioso y sus enfermedades

**Ostetricia** Embarazo y nacimiento

**Oftalmología** El ojo y sus enfermedades

**Oncología** Causas y tratamiento de todo tipo de cáncer

**Ortopedia** Huesos, articulaciones, músculos, tendones y ligamentos y cómo pueden dañarse

**Patología** Causas y efectos de las enfermedades y causa de la muerte

**Pediatría** Crecimiento y desarrollo del niño y las enfermedades infantiles

**Psiquiatría** Enfermedades mentales y su tratamiento

**Radiología** Uso de rayos-X y otras técnicas de imágenes internas para investigar y tratar enfermedades

**Urología** Sistema urinario masculino y femenino y sistema reproductor masculino

# SITIOS WEB SOBRE EL CUERPO

Sitios de información general sobre el cuerpo y la salud:
**www.saludalia.com**
**www.tusalud.com.mx**
Varios sitios sobre el apasionante proyecto "genoma humano":
**http://genoma.entornomedico.org/**
**www.terra.es/ciencia/articulo/html/cie4654.htm**
**www.elpais.es/multimedia/sociedad/genoma.htm**
**www.monografias.com/especiales/genoma/index.shtml**

Noticias médicas en español:

**www.hhmi.org/news/research-esp.html** (Inst. Médico Howard Hughes)

**www.healthig.com/Espanol/home.html**

Lista de las asociaciones y fundaciones de lucha contra enfermedades:

**www.ucm.es/BUCM/med/fundaciones.htm**

Algunos sitios interesantes en inglés:

**www.bbc.co.uk/education/medicine/**

**www.bbc.co.uk/science/humanbody/**

**www.last-word.com/lastword/doby.html**

**www.kidshealth.org/kid/**

**www.yahooligans.com/content/ka/almanac/bodyfood/index.html**

Un sitio con una buena selección de dibujos anatómicos de Leonardo:

**www.webgod.net/leonardo/Anatomy/Default.htm**

# MEDICINAS ALTERNATIVAS

**Acupuntura** Trata los desórdenes de salud clavando agujas en la piel en determinados puntos para alterar los flujos de energía o Ch'i a través de los meridianos (canales de energía invisibles).

**Aromaterapia** Aporta relax o trata desórdenes con aceites aromáticos de plantas que se usan en el agua de baño o en masajes.

**Fitoterapia** Antigua práctica que usa las propiedades curativas de ciertas plantas para tratar enfermedades. Aún desempeña un importante papel en las medicinas china e india.

**Hidroterapia** Trata malestares usando agua (hidromasaje, duchas, baños de vapor).

**Homeopatía** Trata desórdenes dando al paciente dosis de baja concentración de productos que en dosis altas causarían los mismos efectos que la enfermedad que se quiere curar.

**Medicina ayurvédica** Sistema médico tradicional de India que trata a la persona como un todo y se centra en la prevención de la enfermedad.

**Naturopatía** Trata a la persona como un todo, cambiando su dieta o estilo de vida, o usando terapias alternativas, para restaurar el "equilibrio normal" del cuerpo y potenciar su capacidad de autocuración.

**Osteopatía** Diagnosis y tratamiento de la estructura del cuerpo (huesos, articulaciones, ligamentos, tendones, músculos, nervios) con manipulación, estiramientos, masajes y ejercicios.

**Quiropraxis** Alivio del dolor por medio de la manipulación de las articulaciones de la columna vertebral.

**Reflexoterapia** Masaje en zonas del pie para tratar desórdenes de órganos y otras partes del cuerpo que se suponen relacionadas con esas zonas.

# GLOSARIO DEL CUERPO

**ADN**: la base química de los cromosomas, que contiene instrucciones para crear y hacer funcionar una célula.

**adolescencia**: período de la vida en el que los niños se convierten en adultos.

**alvéolos**: microscópicas bolsas de aire dentro de los pulmones a través de las cuales el oxígeno entra en el torrente sanguíneo.

**amputación**: operación quirúrgica que elimina un miembro del cuerpo.

**anestesia**: droga usada para evitar que el paciente sienta dolor durante la operación quirúrgica.

**anticuerpo**: sustancia liberada por el sistema inmunitario para combatir patógenos.

**antiséptico**: producto químico que se extiende en la piel para matar gérmenes y prevenir infecciones.

**articulación**: parte del esqueleto donde se encuentran dos o más huesos.

**cartílago**: material flexible y resistente que forma parte de estructuras como la nariz y la laringe (caja de la voz), y cubre las terminaciones de los huesos.

**células**: pequeñas unidades vivas que son las piezas básicas para construir el cuerpo.

**cromosoma**: uno de los 46 paquetes de ADN que hay en cada célula del cuerpo.

**dióxido de carbono**: gas que es producido como residuo de la liberación de energía y que se expulsa en la respiración.

**encima**: sustancia química que acelera reacciones como la descomposición de la comida en la digestión.

**enfermedad**: fallo en el normal funcionamiento del cuerpo, causado por patógenos o por disfunciones internas.

**escáner**: uso del magnetismo o de ondas de radio para producir imágenes del interior del cuerpo.

**estetoscopio**: instrumento usado para escuchar los sonidos de los pulmones y el corazón.

**fertilización**: unión del óvulo y del espermatozoide en la reproducción.

**gen**: instrucción almacenada en los cromosomas del ADN, necesaria para construir células y ponerlas en funcionamiento.

**glándula endocrina**: glándula, como la pituitaria, que libera hormonas al torrente sanguíneo.

**heces**: residuo sólido que queda después de la digestión y es expulsado del cuerpo por el ano.

**hemoglobina**: sustancia que lleva el oxígeno en los hematíes.

**hormona**: mensajero químico producido por la glándula endocrina y transportado por la sangre.

**ligamentos**: tiras resistentes que

sujetan los huesos a las articulaciones.

**médula espinal**: columna de tejidos nerviosos que transporta mensajes entre el cerebro y el cuerpo.

**melanina**: pigmento marrón que oscurece la piel y el pelo.

**mitocondrios**: estructuras internas de las células que liberan energía del alimento.

**moco**: fluido espeso y viscoso de los sistemas respiratorio y digestivo.

**músculo**: tejido que puede contraerse y provocar movimiento.

**nervio**: haz de neuronas que como un cable conectan el cerebro y la médula espinal con partes del cuerpo.

**neuronas**: células nerviosas del cerebro, la médula espinal y los nervios, que llevan señales eléctricas a gran velocidad.

**nutrientes**: sustancias de la comida útiles para el cuerpo (hidratos de carbono, grasas, proteínas, vitaminas y minerales).

**órgano**: pieza clave del cuerpo (corazón, cerebro...) compuesto de diferentes tejidos y con una función específica.

**orina**: residuo líquido producido por los riñones.

**oxígeno**: gas introducido en los pulmones por la respiración y usado por las células para extraer energía del alimento.

**patógeno**: organismo microscópico (como virus o bacterias) que causa enfermedades.

**peristalsis**: contracción muscular que empuja la comida por el sistema digestivo.

**plasma**: líquido incoloro de la sangre.

**pubertad**: período de la adolescencia durante el cual el cuerpo crece y se desarrolla con rapidez, y empieza a funcionar el sistema reproductor.

**rayos-x**: rayos invisibles usados para producir imágenes de las partes sólidas del cuerpo, como los huesos.

**reflejo**: acción automática como tragar, parpadear o apartar la mano de un objeto cortante.

**sistema**: grupo de órganos que trabajan juntos para una función.

**sudor**: residuo líquido salado liberado por la piel, que ayuda a reducir la temperatura del cuerpo.

**tejido**: grupo de células similares que desempeñan un papel determinado.

**tendón**: cuerda o lámina resistente que une el músculo al hueso.

**trasplante**: operación para tomar un órgano o tejidos de una persona y ponérselos a otra.

**ultrasonido**: imagen producida por la irradiación de ondas de sonido al cuerpo.

**vaso sanguíneo**: tubo que lleva sangre por el cuerpo (arterias, venas y capilares).

**vellosidades**: minúsculos deditos de la cara interior del intestino delgado que trasladan el alimento digerido al torrente sanguíneo.

# ÍNDICE DE NOMBRES

# CRÉDITOS

**Dorling Kindersley quiere mostrar su agradecimiento a:**
Dawn Davies-Cook y Joanna Pocock por su ayuda en el diseño; Almudena Díaz y Nomazwe Modonko por su ayuda en el DTP y a Kate Bradshaw por su ayuda editorial. Gracias también a Chris Bernstein por el índice.

Fotografías adicionales de:
Geoff Brightling, Andy Crawford, Philip Dowell, John Garrett, Steve Gorton, Dave King, Time Ridley, Clive Streeter, Adrian Whicher, Jerry Young.

**Richard Walker quiere dar las gracias a:**
Lucy Hurst, Ann Cannings, Fran Jones, Marcus James y al resto del equipo de DK responsable de este libro por su trabajo, su entusiasmo, creatividad y atención a los detalles.

---

## Créditos de las imágenes

Los editores quieren agradecer la amabilidad al conceder su permiso para reproducir sus fotografías a:

**AKG London:** 11; Erich Lessing 19;
**The Art Archive:** Museo de Arte Moderno de Nueva York/Album/Joseph Martin 35;
**Corbis:** Archivo Iconográfico, SA 37; Bettmann 48; Francis G. Mayer 20;
**Denoyer-Geppert Intl.:** 24-25, 42-43;
**ESPL/Denoyer-Geppert:** 18;
**Banco de Imágenes Mary Evans:** 12;
**Image Bank:** Lou Jones 24;
**Images Colour Library:** 10, 63;
**Colección Kobal:** Warner Bros 30;
**Museo de Historia Natural de Londres:** 8;
**Pictor International:** 21;
**Museo de Ciencias:** 30;
**Science Photo Library:** Juergen Berger, Instituto Max-Planck 51, 72-73; Chris Bjornberg 41, 85; BSIP Dr. T. Pichard 45; Dr. Jeremy Burgess 70; Scott Camazine 62, 75; CNRI 49, 55, 59; Departamento de Radiología Clínica del Hospital del Distrito de Salisbury 79; Martin Dohrn 60; Eye of Science 48bl, 50, 74; Prof. C. Ferlaud/CNRI 56; Simon Fraser 13; Mehau Kulyk 36, 76-77; Laguna Design 23; Prof. P. Motta/Departamento de Anatomía de la Universidad "La Sapienza" de Roma. 25; Instituto Nacional del Cáncer 4, 38-39, 88-9; Omikron 26-27; David Parker 22-23; Alfred Pasieka 11, 82; D.Phillips 32, 78-79; K. R. Porter 52; Quest 42tr, 64-5, 66; Hospital del Distrito de Salisbury 16-17; Dr. Gary Settles 57; Andrew Syred 4-5, 15, 69; Garry Watson 31; Departamento de Neurología Cognitiva de Wellcome 34;
**Still Pictures:** Sarvottam Rajkoomar 26;
**Sam Tree of Keygrove Marketing Ltd** 68;
**Topham Picturepoint:** 83;
**Richard Walker:** 84.

## Créditos de la cubierta
**Portada**
Science Photo Library: Mike Agliolo
**Contraportada**
Still Pictures: Sarvottam Rajkoomar

Del resto de las imágenes:
© Dorling Kindersley.

Para más información:
**www.dkimages.com**